힘이 붙는 수학

연산

초등 **1B**

단계별
학습 내용

🐙 전체 학습 설계도를 보고 초등 수학의 과정을 알 수 있습니다.

4 초4 수준

A	B
🎯1단계 큰 수	🎯1단계 분수의 덧셈
🎯2단계 각도	🎯2단계 분수의 뺄셈
🎯3단계 곱셈	🎯3단계 소수
🎯4단계 나눗셈	🎯4단계 소수의 덧셈
	🎯5단계 소수의 뺄셈

5 초5 수준

A	B
🎯1단계 자연수의 혼합 계산	🎯1단계 수의 범위
🎯2단계 약수와 배수	🎯2단계 어림하기
🎯3단계 약분과 통분	🎯3단계 분수의 곱셈
🎯4단계 분수의 덧셈과 뺄셈	🎯4단계 소수의 곱셈
🎯5단계 다각형의 둘레와 넓이	🎯5단계 평균

6 초6 수준

A	B
🎯1단계 분수의 나눗셈	🎯1단계 분수의 나눗셈
🎯2단계 소수의 나눗셈	🎯2단계 소수의 나눗셈
🎯3단계 비와 비율	🎯3단계 비례식
🎯4단계 직육면체의 부피와 겉넓이	🎯4단계 비례배분
	🎯5단계 원의 넓이

이렇게 공부해 봐

1 개념 정리

개념 정리 내용을 확인하며 계산 원리를 충분히 이해해요.

2 연산 학습

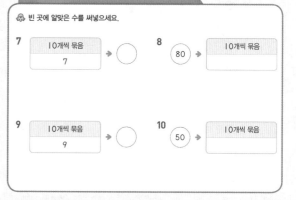

다양한 유형의 연산 문제를 통해 연산력을 강화해요. 매일 연산 학습을 반복하면 더 효과적으로 학습할 수 있어요.

3 생활 속 연산

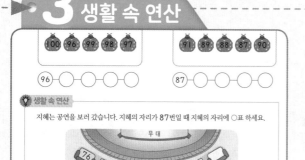

다양한 실생활 속 상황에서 연산력을 키워 문제를 해결해요.

4 마무리 연산

연산 학습을 잘했는지 문제를 풀어 보며 확인해요.

Contents 차례

1

100까지의 수

꾸준하게 풀면 어느새
연산 실력이 엄청
향상되어 있을 거야!

학습 결과와 시간을 써 보세요!

학습 내용	학습 회차	맞힌 개수/걸린 시간
1. 몇십	DAY 01	/
	DAY 02	/
2. 99까지의 수	DAY 03	/
	DAY 04	/
3. 100까지의 수의 순서	DAY 05	/
	DAY 06	/
	DAY 07	/
4. 수의 크기 비교하기	DAY 08	/
	DAY 09	/
마무리 연산	DAY 10	/
	DAY 11	/

1. 몇십

● 몇십 쓰고 읽기

10개씩 묶음 ★개를 ★0이라고 해!

쓰기	60	70	80	90
읽기	육십	칠십	팔십	구십
	예순	일흔	여든	아흔

🐙 그림을 보고 ☐ 안에 알맞은 수를 써넣으세요.

1

→ 70

2

→ ☐

3

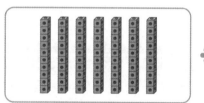 → ☐

4

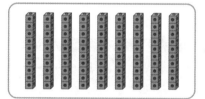 → ☐

5

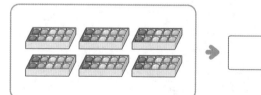 → ☐

6

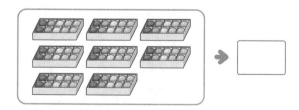 → ☐

🐙 빈 곳에 알맞은 수를 써넣으세요.

7

10개씩 묶음
7

➡ ◯

8

◯ 80 ➡

10개씩 묶음

9

10개씩 묶음
9

➡ ◯

10

◯ 50 ➡

10개씩 묶음

11

10개씩 묶음
6

➡ ◯

12

◯ 70 ➡

10개씩 묶음

13

10개씩 묶음
5

➡ ◯

14

◯ 60 ➡

10개씩 묶음

15

10개씩 묶음
8

➡ ◯

16

◯ 90 ➡

10개씩 묶음

1단계 100까지의 수

1. 몇십

🐙 10개씩 몇 묶음인지 구하고 빈칸에 알맞은 수를 써넣으세요.

1

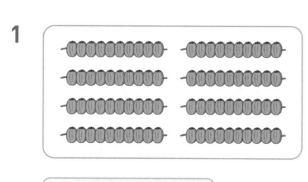

10개씩 묶음

➡ ▢

2

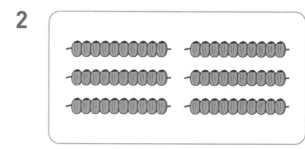

10개씩 묶음

➡ ▢

3

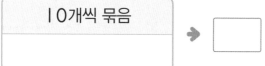

10개씩 묶음

➡ ▢

4

10개씩 묶음

➡ ▢

5

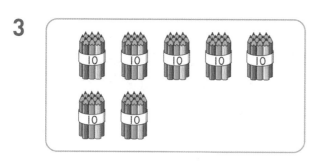

10개씩 묶음

➡ ▢

6

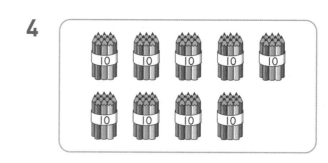

10개씩 묶음

➡ ▢

🐙 수를 세어 쓰고 두 가지 방법으로 읽어 보세요.

7

쓰기		
읽기		

8

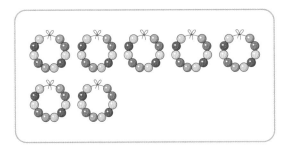

쓰기		
읽기		

9

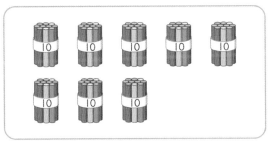

쓰기		
읽기		

10

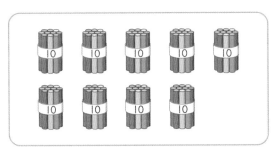

쓰기		
읽기		

11

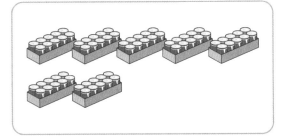

쓰기		
읽기		

12

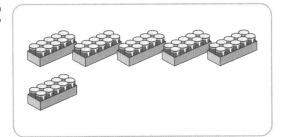

쓰기		
읽기		

2. 99까지의 수

● 몇십몇 알아보기

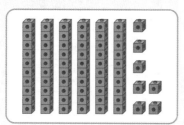

10개씩 묶음	낱개
6	7

➡ 67 (육십칠, 예순일곱)

🐙 그림을 보고 ☐ 안에 알맞은 수를 써넣으세요.

1 ➡ 99

2 ➡ ☐

3 ➡ ☐

4 ➡ ☐

5 ➡ ☐

6 ➡ ☐

🐙 빈 곳에 알맞은 수를 써넣으세요.

7

10개씩 묶음	낱개
6	4

➡ ◯

8

91 ➡

10개씩 묶음	낱개

9

10개씩 묶음	낱개
7	2

➡ ◯

10

88 ➡

10개씩 묶음	낱개

11

10개씩 묶음	낱개
9	3

➡ ◯

12

69 ➡

10개씩 묶음	낱개

13

10개씩 묶음	낱개
6	5

➡ ◯

14

76 ➡

10개씩 묶음	낱개

15

10개씩 묶음	낱개
8	6

➡ ◯

16

89 ➡

10개씩 묶음	낱개

1단계 100까지의 수

2. 99까지의 수

🐙 그림을 보고 빈칸에 알맞은 수를 써넣으세요.

1

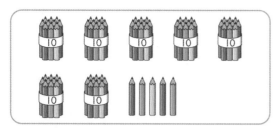

10개씩 묶음	
낱개	

➡ ☐

2

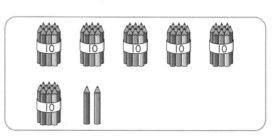

10개씩 묶음	
낱개	

➡ ☐

3

10개씩 묶음	
낱개	

➡ ☐

4

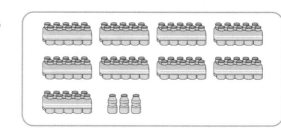

10개씩 묶음	
낱개	

➡ ☐

5

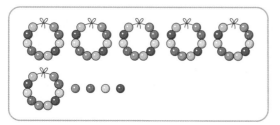

10개씩 묶음	
낱개	

➡ ☐

6

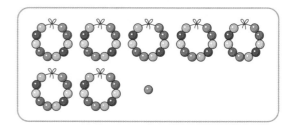

10개씩 묶음	
낱개	

➡ ☐

🐙 수로 나타내고 두 가지 방법으로 읽어 보세요.

7

10개씩 묶음 8개와 낱개 4개

쓰기		
읽기		

8

10개씩 묶음 6개와 낱개 3개

쓰기		
읽기		

9

10개씩 묶음 7개와 낱개 9개

쓰기		
읽기		

10

10개씩 묶음 9개와 낱개 5개

쓰기		
읽기		

11

10개씩 묶음 8개와 낱개 8개

쓰기		
읽기		

12

10개씩 묶음 7개와 낱개 2개

쓰기		
읽기		

13

10개씩 묶음 9개와 낱개 1개

쓰기		
읽기		

14

10개씩 묶음 6개와 낱개 7개

쓰기		
읽기		

◎ 1단계 100까지의 수

3. 100까지의 수의 순서

● 51부터 100까지의 수를 순서대로 쓰기

51	52	53	54	55	56	57	58	59	60
61	62	63	64	65	66	67	68	69	70
71	72	73	74	75	76	77	78	79	80
81	82	83	84	85	86	87	88	89	90
91	92	93	94	95	96	97	98	99	100

1씩 커집니다. → 백

🐙 순서에 알맞게 빈 곳에 알맞은 수를 써넣으세요.

1
51 — 52 — 53 — 54 — 55 — 56 — 57

2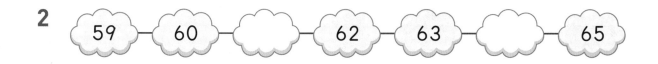
59 — 60 — ☐ — 62 — 63 — ☐ — 65

3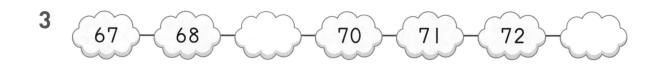
67 — 68 — ☐ — 70 — 71 — 72 — ☐

4
☐ — 71 — 72 — ☐ — 74 — ☐ — 76

5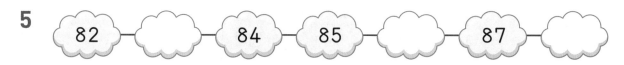
82 — ☐ — 84 — 85 — ☐ — 87 — ☐

🐙 빈칸에 알맞은 수를 써넣으세요.

6
l만큼 더 작은 수　　　l만큼 더 큰 수
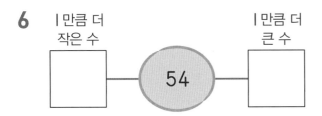

7
l만큼 더 작은 수　　　l만큼 더 큰 수
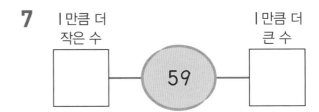

8
l만큼 더 작은 수　　　l만큼 더 큰 수
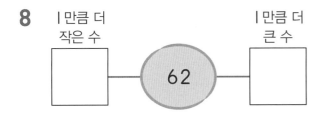

9
l만큼 더 작은 수　　　l만큼 더 큰 수
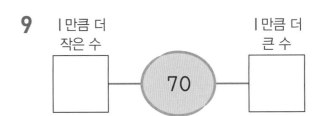

10
l만큼 더 작은 수　　　l만큼 더 큰 수
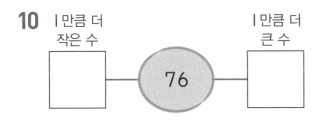

11
l만큼 더 작은 수　　　l만큼 더 큰 수
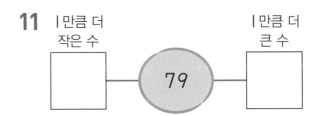

12
l만큼 더 작은 수　　　l만큼 더 큰 수
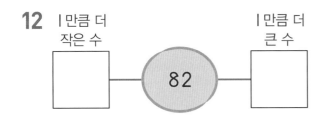

13
l만큼 더 작은 수　　　l만큼 더 큰 수
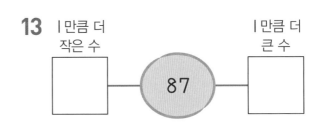

14
l만큼 더 작은 수　　　l만큼 더 큰 수
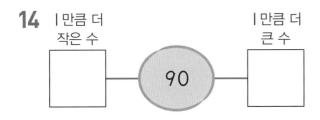

15
l만큼 더 작은 수　　　l만큼 더 큰 수
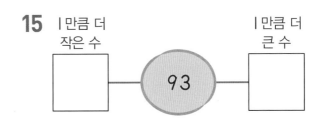

16
l만큼 더 작은 수　　　l만큼 더 큰 수
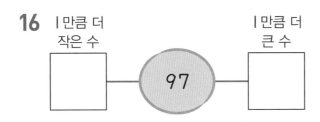

17
l만큼 더 작은 수　　　l만큼 더 큰 수
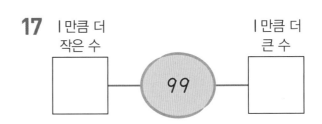

3. 100까지의 수의 순서

🐙 ☐ 안에 알맞은 수를 써넣으세요.

1
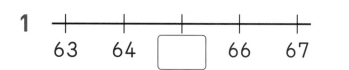
63   64   ☐   66   67

2

88   89   ☐   91   92

3
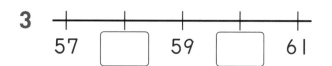
57   ☐   59   ☐   61

4
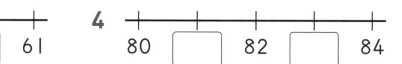
80   ☐   82   ☐   84

5
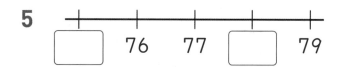
☐   76   77   ☐   79

6

☐   94   95   ☐   97

7
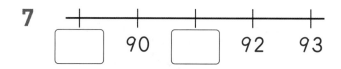
☐   90   ☐   92   93

8
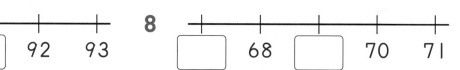
☐   68   ☐   70   71

9
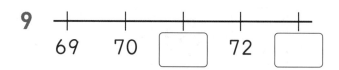
69   70   ☐   72   ☐

10
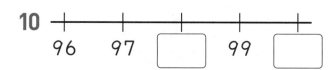
96   97   ☐   99   ☐

🐙 순서에 알맞게 빈칸에 수를 써넣으세요.

11

74 | | 76 | 77 | | 79

12

88 | | 90 | | 92 |

13

| 54 | 55 | | | 58

14

69 | | | 72 | 73 |

15

| 80 | 81 | 82 | |

16

90 | | 92 | 93 | |

17

95 | | 97 | 98 | |

🎯 1단계 100까지의 수

3. 100까지의 수의 순서

🐙 순서를 생각하며 빈칸에 알맞은 수를 써넣으세요.

1

51	52	53		55
56		58	59	60
61	62	63	64	
66	67	68	69	
71		73	74	75

2

76	77	78	79	
81	82		84	85
	87	88	89	90
91		93		95
96	97	98		100

3

68	69	70	71	72
73			76	77
78	79	80	81	
83	84	85		87
	89		91	92

4

71	72	73		75
76	77		79	80
81		83	84	85
		88	89	90
91	92	93	94	

5

53	54	55		57
	59	60	61	62
63			66	67
68	69	70		
73	74	75	76	

6

	62	63	64	
66	67	68		70
71	72		74	75
76	77		79	80
81		83		85

무당벌레에 적혀 있는 수를 순서대로 ○ 안에 써넣으세요.

7

84 ─○─○─○─○

8

62 ─○─○─○─○

9

91 ─○─○─○─○

10

70 ─○─○─○─○

11

96 ─○─○─○─○

12

87 ─○─○─○─○

💡 **생활 속 연산**

지혜는 공연을 보러 갔습니다. 지혜의 자리가 **87**번일 때 지혜의 자리에 ○표 하세요.

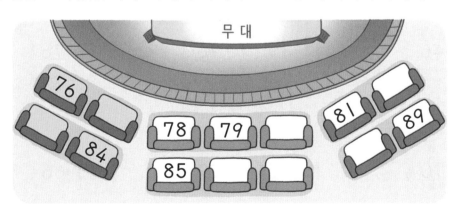

4. 수의 크기 비교하기

예 27과 36의 크기 비교

$$27 \lessgtr 36$$
$$2 < 3$$

십의 자리 수의 크기를 비교하면 어떤 수가 더 큰지 알 수 있어!

🐙 두 수의 크기를 비교하여 ◯ 안에 >, <를 알맞게 써넣으세요.

1 15 < 26
1 < 2

2 21 ◯ 42

3 33 ◯ 29

4 44 ◯ 86

5 42 ◯ 63

6 26 ◯ 38

7 74 ◯ 47

8 84 ◯ 59

9 11 ◯ 25

10 51 ◯ 46

11 19 ◯ 96

12 76 ◯ 54

13 23 ◯ 70

14 15 ◯ 99

15 66 ◯ 47

🐙 두 수의 크기를 비교하여 더 큰 수를 빈 곳에 써넣으세요.

16

33	46

17

72	85

18

53	39

19

11	58

20

76	48

21

47	88

22

94	50

23

24	42

24

31	41

25

66	55

4. 수의 크기 비교하기

예 54와 51의 크기 비교

$$54 \gt 51$$

4 > 1

십의 자리 수가 같으면
일의 자리 수를 비교해보면 돼!

🐙 두 수의 크기를 비교하여 ◯ 안에 >, <를 알맞게 써넣으세요.

1 36 ⟨<⟩ 38

6 < 8

2 21 ◯ 27

3 55 ◯ 52

4 44 ◯ 48

5 79 ◯ 70

6 63 ◯ 67

7 17 ◯ 19

8 84 ◯ 82

9 94 ◯ 99

10 32 ◯ 37

11 50 ◯ 56

12 22 ◯ 20

13 15 ◯ 11

14 42 ◯ 46

15 75 ◯ 71

🐙 두 수를 비교하여 더 작은 수를 빈 곳에 쓰세요.

16

17

18

19

20

21

22

23

24

25

26

27

28

29

30

마무리 연산

🐙 빈 곳에 알맞은 수를 써넣으세요.

1

10개씩 묶음
8

➡ ◯

2

60 ➡

10개씩 묶음

3

10개씩 묶음
9

➡ ◯

4

70 ➡

10개씩 묶음

5

10개씩 묶음
6

➡ ◯

6

80 ➡

10개씩 묶음

7

10개씩 묶음	9
낱개	3

➡ ◯

8

76 ➡

10개씩 묶음	
낱개	

9

10개씩 묶음	7
낱개	2

➡ ◯

10

81 ➡

10개씩 묶음	
낱개	

11

10개씩 묶음	6
낱개	7

➡ ◯

12

95 ➡

10개씩 묶음	
낱개	

🐙 수로 나타내고 두 가지 방법으로 읽어 보세요.

13

10개씩 묶음 9개

쓰기	
읽기	

14

10개씩 묶음 6개

쓰기	
읽기	

15

10개씩 묶음 7개

쓰기	
읽기	

16

10개씩 묶음 8개

쓰기	
읽기	

17

10개씩 묶음 6개와 낱개 5개

쓰기	
읽기	

18

10개씩 묶음 9개와 낱개 2개

쓰기	
읽기	

19

10개씩 묶음 8개와 낱개 3개

쓰기	
읽기	

20

10개씩 묶음 7개와 낱개 6개

쓰기	
읽기	

🎯 1단계 100까지의 수

마무리 연산

🐙 순서에 알맞게 빈 곳에 알맞은 수를 써넣으세요.

1 56 — ☐ — 58 — 59 — ☐ — 61

2 82 — 83 — ☐ — 85 — ☐ — 87

3 ☐ — 74 — ☐ — 76 — 77 — 78

4 67 — 68 — ☐ — 70 — ☐ — 72

5 89 — ☐ — 91 — 92 — 93 — ☐

6 84 — ☐ — 86 — ☐ — 88 — 89

7 60 — ☐ — ☐ — 63 — 64 — 65

🐙 두 수의 크기를 비교하여 ◯ 안에 >, <를 알맞게 써넣으세요.

8 18 ◯ 27　　　　**9** 65 ◯ 19　　　　**10** 23 ◯ 69

11 44 ◯ 58　　　　**12** 97 ◯ 13　　　　**13** 51 ◯ 32

14 22 ◯ 50　　　　**15** 31 ◯ 15　　　　**16** 86 ◯ 72

17 51 ◯ 53　　　　**18** 27 ◯ 22　　　　**19** 18 ◯ 19

20 47 ◯ 46　　　　**21** 98 ◯ 90　　　　**22** 72 ◯ 74

23 35 ◯ 36　　　　**24** 69 ◯ 61　　　　**25** 57 ◯ 58

26 16 ◯ 11　　　　**27** 45 ◯ 49　　　　**28** 26 ◯ 20

2

덧셈과 뺄셈(1)

실수하지 않는 유일한 방법은 연습뿐이야잉

학습 결과와 시간을 써 보세요!

학습 내용	학습 회차	맞힌 개수/걸린 시간
1. 받아올림이 없는 (몇십몇)+(몇)	DAY 01	/
	DAY 02	/
	DAY 03	/
	DAY 04	/
2. 받아올림이 없는 (몇십)+(몇십)	DAY 05	/
	DAY 06	/
	DAY 07	/
	DAY 08	/
3. 받아올림이 없는 (몇십몇)+(몇십몇)	DAY 09	/
	DAY 10	/
	DAY 11	/
	DAY 12	/
4. 받아내림이 없는 (몇십몇)-(몇)	DAY 13	/
	DAY 14	/
	DAY 15	/
	DAY 16	/
5. 받아내림이 없는 (몇십)-(몇십)	DAY 17	/
	DAY 18	/
	DAY 19	/
	DAY 20	/
6. 받아내림이 없는 (몇십몇)-(몇십몇)	DAY 21	/
	DAY 22	/
	DAY 23	/
	DAY 24	/
마무리 연산	DAY 25	/
	DAY 26	/

기초력 상승!

하나 둘! 하나 둘!

🎯 **2단계** 덧셈과 뺄셈(1)

1. 받아올림이 없는 (몇십몇)+(몇)

예 25+3의 계산

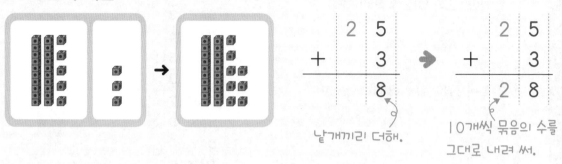

$$\begin{array}{r} 2\ 5 \\ +\quad 3 \\ \hline 8 \end{array}$$

낱개끼리 더해.

➡

$$\begin{array}{r} 2\ 5 \\ +\quad 3 \\ \hline 2\ 8 \end{array}$$

10개씩 묶음의 수를
그대로 내려 써.

🐙 계산을 하세요.

1
$$\begin{array}{r} 1\ 7 \\ +\quad 2 \\ \hline 1\ 9 \end{array}$$

1을 그대로 내려서 써.

2
$$\begin{array}{r} 2\ 3 \\ +\quad 4 \\ \hline \end{array}$$

3
$$\begin{array}{r} 2\ 6 \\ +\quad 3 \\ \hline \end{array}$$

4
$$\begin{array}{r} 3\ 1 \\ +\quad 7 \\ \hline \end{array}$$

5
$$\begin{array}{r} 3\ 5 \\ +\quad 2 \\ \hline \end{array}$$

6
$$\begin{array}{r} 4\ 2 \\ +\quad 2 \\ \hline \end{array}$$

7
$$\begin{array}{r} 5\ 4 \\ +\quad 4 \\ \hline \end{array}$$

8
$$\begin{array}{r} 6\ 6 \\ +\quad 3 \\ \hline \end{array}$$

9
$$\begin{array}{r} 2\ 8 \\ +\quad 1 \\ \hline \end{array}$$

10
$$\begin{array}{r} 7\ 5 \\ +\quad 2 \\ \hline \end{array}$$

11
$$\begin{array}{r} 8\ 1 \\ +\quad 4 \\ \hline \end{array}$$

12
$$\begin{array}{r} 9\ 3 \\ +\quad 2 \\ \hline \end{array}$$

🐙 계산을 하세요.

13
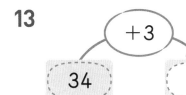

14
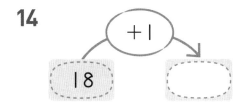

15
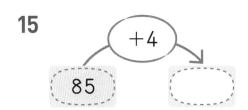

16
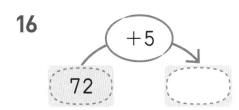

17
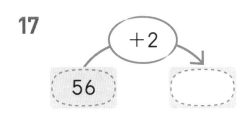

18
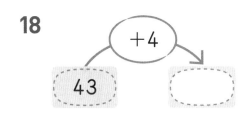

19
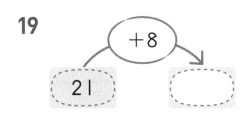

20
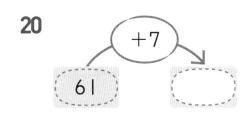

21
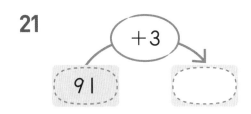

22
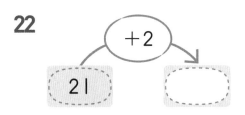

2단계 덧셈과 뺄셈(1)

1. 받아올림이 없는 (몇십몇)+(몇)

🐙 계산을 하세요.

1
```
  2 4
+   3
```
일의 자리끼리 더해.

2
```
  5 1
+   5
```

3
```
  1 3
+   6
```

4
```
  3 6
+   2
```

5
```
  6 3
+   4
```

6
```
  2 5
+   4
```

7
```
  4 1
+   3
```

8
```
  5 4
+   1
```

9
```
  7 4
+   2
```

10
```
  3 2
+   7
```

11
```
  9 7
+   2
```

12
```
  2 6
+   2
```

13
```
  4 4
+   3
```

14
```
  8 1
+   3
```

15
```
  9 5
+   3
```

🐙 두 수의 합을 빈 곳에 써넣으세요.

16

17

18

19

20

21

22

23

24

25

26

27

28

29

30

2단계 덧셈과 뺄셈(1)

1. 받아올림이 없는 (몇십몇)+(몇)

🐙 계산을 하세요.

1 54+2=[ ]

2 13+6=[ ]

3 34+5=[ ]

4 62+2=[ ]

5 41+6=[ ]

6 97+2=[ ]

7 23+4=[ ]

8 38+1=[ ]

9 15+2=[ ]

10 76+2=[ ]

11 82+4=[ ]

12 93+4=[ ]

13 66+3=[ ]

14 31+7=[ ]

15 12+5=[ ]

16 23+2=[ ]

17 84+3=[ ]

18 76+1=[ ]

🐙 두 수의 합을 빈 곳에 써넣으세요.

19

46	3

20

5	63

21

72	4

22

1	22

23

54	4

24

4	91

25

85	2

26

8	11

27

42	2

28

7	32

🎯 2단계 덧셈과 뺄셈(1)

1. 받아올림이 없는 (몇십몇)+(몇)

🐙 계산을 하세요.

1 12+6

2 46+1

3 84+2

4 71+6

5 67+2

6 53+4

7 35+3

8 26+2

9 92+5

10 43+3

11 31+4

12 74+5

13 15+2

14 82+6

15 67+1

16 33+4

17 56+3

18 24+2

🐙 가장 큰 수와 가장 작은 수의 합을 구하세요.

19   6   31   23

(   )

20   23   5   62

(   )

21   42   4   74

(   )

22   3   55   26

(   )

23   95   3   92

(   )

24   64   27   2

(   )

25   1   86   83

(   )

26   72   7   32

(   )

27   3   54   5

(   )

28   41   8   7

(   )

🎯 2단계 덧셈과 뺄셈(1)

2. 받아올림이 없는 (몇십)+(몇십)

예 30+50의 계산

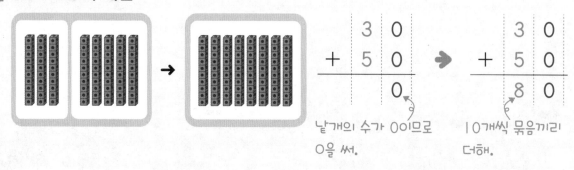

낱개의 수가 0이므로
0을 써.

10개씩 묶음끼리
더해.

🐙 계산을 하세요.

★0과 ◆0의 합은 ★+◆의
값 뒤에 0을 붙여!

1

	1	0
+	5	0
	6	0

2

	1	0
+	3	0

3

	1	0
+	1	0

4

	6	0
+	3	0

5

	2	0
+	5	0

6

	3	0
+	3	0

7

	5	0
+	3	0

8

	4	0
+	3	0

9

	7	0
+	1	0

10

	4	0
+	1	0

11

	5	0
+	4	0

12

	3	0
+	2	0

🐙 계산을 하세요.

13

20 → +60 → ☐

14

10 → +40 → ☐

15

10 → +80 → ☐

16

30 → +40 → ☐

17

50 → +10 → ☐

18

30 → +60 → ☐

19

10 → +20 → ☐

20

40 → +50 → ☐

21

20 → +40 → ☐

22

50 → +20 → ☐

◎ 2단계 덧셈과 뺄셈(1)

2. 받아올림이 없는 (몇십)＋(몇십)

🐙 계산을 하세요.

1
```
    2 0
+   3 0
```

2
```
    5 0
+   2 0
```

3
```
    1 0
+   7 0
```

4
```
    3 0
+   3 0
```

5
```
    1 0
+   4 0
```

6
```
    4 0
+   3 0
```

7
```
    2 0
+   7 0
```

8
```
    3 0
+   5 0
```

9
```
    8 0
+   1 0
```

10
```
    4 0
+   2 0
```

11
```
    1 0
+   6 0
```

12
```
    1 0
+   1 0
```

13
```
    5 0
+   4 0
```

14
```
    1 0
+   2 0
```

15
```
    2 0
+   2 0
```

🐙 계산을 하세요.

16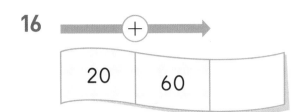

17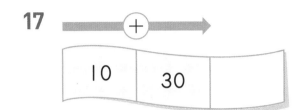

18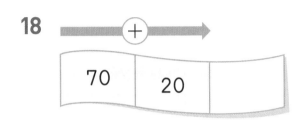

19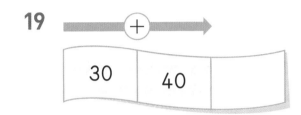

20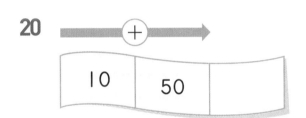

21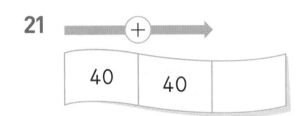

22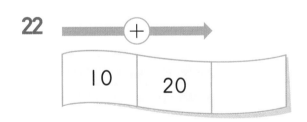

23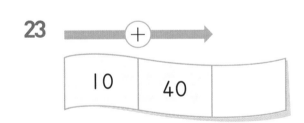

24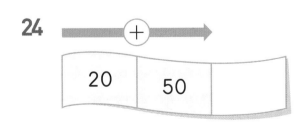

25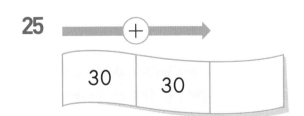

2단계 덧셈과 뺄셈(1)

2. 받아올림이 없는 (몇십)+(몇십)

🐙 계산을 하세요.

1 $30+60=$ ☐

2 $10+60=$ ☐

3 $60+20=$ ☐

4 $50+10=$ ☐

5 $20+20=$ ☐

6 $10+20=$ ☐

7 $70+20=$ ☐

8 $20+40=$ ☐

9 $50+30=$ ☐

10 $10+10=$ ☐

11 $60+30=$ ☐

12 $20+60=$ ☐

13 $50+40=$ ☐

14 $30+20=$ ☐

15 $70+10=$ ☐

16 $20+50=$ ☐

17 $40+30=$ ☐

18 $80+10=$ ☐

두 수의 합을 구하세요.

19 10 40
( )

20 60 10
( )

21 40 20
( )

22 40 40
( )

23 10 30
( )

24 70 20
( )

25 20 30
( )

26 10 80
( )

27 40 10
( )

28 30 50
( )

🎯 2단계 덧셈과 뺄셈(1)

2. 받아올림이 없는 (몇십)+(몇십)

🐙 계산을 하세요.

1 50+40

2 20+40

3 60+10

4 10+40

5 30+30

6 70+20

7 20+60

8 50+20

9 30+50

10 40+30

11 60+30

12 10+20

13 20+50

14 40+40

15 30+10

16 50+30

17 10+10

18 20+30

🐙 주어진 수가 되는 덧셈식에 ○표 하세요.

19

20

21

22

23

24

25

26

3. 받아올림이 없는 (몇십몇)+(몇십몇)

예 32+15의 계산

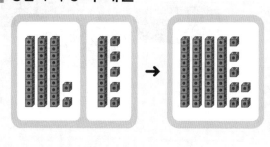

$$\begin{array}{r} 3\ 2 \\ +\ 1\ 5 \\ \hline 7 \end{array} \Rightarrow \begin{array}{r} 3\ 2 \\ +\ 1\ 5 \\ \hline 4\ 7 \end{array}$$

낱개끼리 더해.

10개씩 묶음끼리 더해.

🐙 계산을 하세요.

1
$$\begin{array}{r} 2\ 4 \\ +\ 7\ 1 \\ \hline 9\ 5 \end{array}$$

2
$$\begin{array}{r} 5\ 6 \\ +\ 1\ 3 \\ \hline \end{array}$$

3
$$\begin{array}{r} 3\ 2 \\ +\ 4\ 5 \\ \hline \end{array}$$

4
$$\begin{array}{r} 1\ 2 \\ +\ 2\ 6 \\ \hline \end{array}$$

5
$$\begin{array}{r} 3\ 1 \\ +\ 3\ 1 \\ \hline \end{array}$$

6
$$\begin{array}{r} 6\ 4 \\ +\ 2\ 4 \\ \hline \end{array}$$

7
$$\begin{array}{r} 3\ 6 \\ +\ 1\ 3 \\ \hline \end{array}$$

8
$$\begin{array}{r} 5\ 3 \\ +\ 1\ 1 \\ \hline \end{array}$$

9
$$\begin{array}{r} 7\ 2 \\ +\ 1\ 3 \\ \hline \end{array}$$

10
$$\begin{array}{r} 2\ 7 \\ +\ 5\ 1 \\ \hline \end{array}$$

11
$$\begin{array}{r} 1\ 6 \\ +\ 1\ 2 \\ \hline \end{array}$$

12
$$\begin{array}{r} 4\ 3 \\ +\ 3\ 3 \\ \hline \end{array}$$

🐙 계산을 하세요.

13
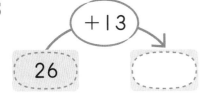

14
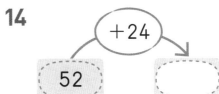

15
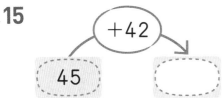

16
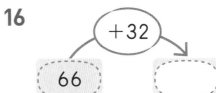

17
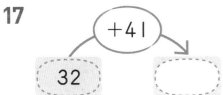

18
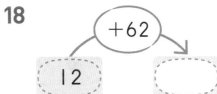

19
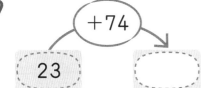

20
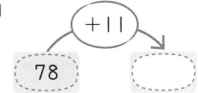

21
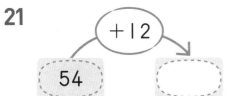

22
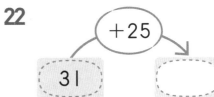

3. 받아올림이 없는 (몇십몇)+(몇십몇)

🐙 계산을 하세요.

1
$$\begin{array}{r} 3\ 7 \\ +\ 2\ 1 \\ \hline \end{array}$$

2
$$\begin{array}{r} 6\ 4 \\ +\ 1\ 3 \\ \hline \end{array}$$

3
$$\begin{array}{r} 2\ 4 \\ +\ 2\ 5 \\ \hline \end{array}$$

4
$$\begin{array}{r} 4\ 2 \\ +\ 2\ 4 \\ \hline \end{array}$$

5
$$\begin{array}{r} 1\ 5 \\ +\ 1\ 2 \\ \hline \end{array}$$

6
$$\begin{array}{r} 4\ 3 \\ +\ 2\ 2 \\ \hline \end{array}$$

7
$$\begin{array}{r} 5\ 6 \\ +\ 3\ 2 \\ \hline \end{array}$$

8
$$\begin{array}{r} 4\ 6 \\ +\ 1\ 1 \\ \hline \end{array}$$

9
$$\begin{array}{r} 2\ 5 \\ +\ 6\ 4 \\ \hline \end{array}$$

10
$$\begin{array}{r} 6\ 2 \\ +\ 2\ 4 \\ \hline \end{array}$$

11
$$\begin{array}{r} 2\ 5 \\ +\ 1\ 1 \\ \hline \end{array}$$

12
$$\begin{array}{r} 3\ 1 \\ +\ 4\ 1 \\ \hline \end{array}$$

13
$$\begin{array}{r} 4\ 6 \\ +\ 4\ 3 \\ \hline \end{array}$$

14
$$\begin{array}{r} 1\ 3 \\ +\ 6\ 2 \\ \hline \end{array}$$

15
$$\begin{array}{r} 2\ 3 \\ +\ 5\ 6 \\ \hline \end{array}$$

🐙 계산을 하세요.

16
45 → +13 →

17
13 → +32 →

18
51 → +21 →

19
26 → +62 →

20
34 → +23 →

21
11 → +73 →

22
63 → +16 →

23
72 → +24 →

24
16 → +22 →

25
41 → +34 →

2단계 덧셈과 뺄셈(1)

3. 받아올림이 없는 (몇십몇)+(몇십몇)

계산을 하세요.

1 $12+14=$ ☐

2 $12+42=$ ☐

3 $27+12=$ ☐

4 $61+25=$ ☐

5 $38+21=$ ☐

6 $43+24=$ ☐

7 $76+12=$ ☐

8 $46+13=$ ☐

9 $33+64=$ ☐

10 $25+21=$ ☐

11 $12+53=$ ☐

12 $36+22=$ ☐

13 $22+62=$ ☐

14 $64+12=$ ☐

15 $81+12=$ ☐

16 $14+21=$ ☐

17 $35+43=$ ☐

18 $42+22=$ ☐

🐙 두 수의 합을 구하세요.

19

(   )

20

(   )

21

(   )

22

(   )

23

(   )

24

(   )

25

(   )

26

(   )

27

(   )

28

(   )

2단계 덧셈과 뺄셈(1)

3. 받아올림이 없는 (몇십몇)+(몇십몇)

🐙 계산을 하세요.

1 16+52	**2** 64+23	**3** 82+15
4 23+12	**5** 37+12	**6** 41+32
7 13+43	**8** 33+14	**9** 71+11
10 62+22	**11** 48+21	**12** 13+15
13 26+23	**14** 84+13	**15** 15+71
16 31+44	**17** 52+36	**18** 42+34

🐙 두 수의 합을 써넣으세요.

19

20

21

22

23

24

25

26

💡 **생활 속 연산**

운동장에서 축구를 하는 사람은 **22**명, 응원을 하는 사람은 **36**명입니다. 축구를 하는 사람과 응원을 하는 사람은 모두 몇 명인지 구하세요.

(　　　　　　　　　)명

⊙ 2단계 덧셈과 뺄셈(1)

4. 받아내림이 없는 (몇십몇)−(몇)

예 27−4의 계산

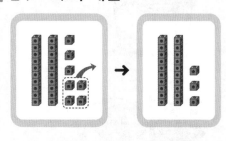

낱개끼리 빼.

10개씩 묶음의 수를
그대로 내려 써.

🐙 계산을 하세요.

1
```
    4 6
  −   2
    4 4
```

2
```
    7 9
  −   3
```

3
```
    5 7
  −   5
```

4
```
    6 2
  −   1
```

5
```
    3 8
  −   6
```

6
```
    8 4
  −   3
```

7
```
    2 4
  −   2
```

8
```
    1 9
  −   4
```

9
```
    4 5
  −   5
```

10
```
    6 7
  −   3
```

11
```
    7 3
  −   2
```

12
```
    8 8
  −   4
```

🐙 계산을 하세요.

13
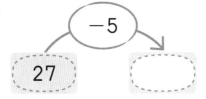

14
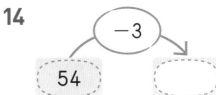

15
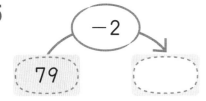

16
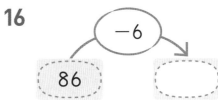

17
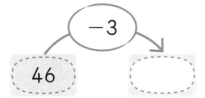

18
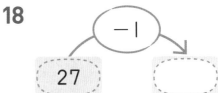

19
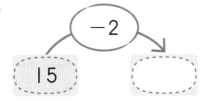

20
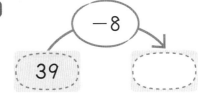

21
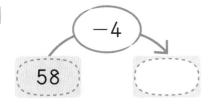

22
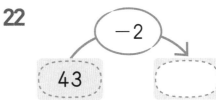

4. 받아내림이 없는 (몇십몇)—(몇)

🐙 계산을 하세요.

1
```
   4 8
 -   2
```

2
```
   3 6
 -   6
```

3
```
   8 9
 -   7
```

4
```
   1 7
 -   5
```

5
```
   6 2
 -   1
```

6
```
   7 9
 -   5
```

7
```
   5 3
 -   1
```

8
```
   9 7
 -   2
```

9
```
   2 8
 -   6
```

10
```
   6 4
 -   3
```

11
```
   7 7
 -   4
```

12
```
   3 5
 -   3
```

13
```
   8 2
 -   1
```

14
```
   4 9
 -   3
```

15
```
   5 6
 -   2
```

🐙 ☐ 안에 알맞은 수를 써넣으세요.

16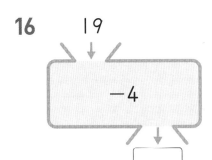

17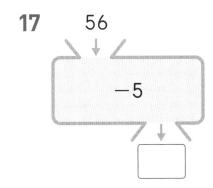

18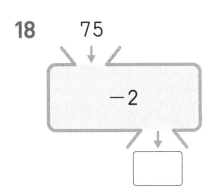

19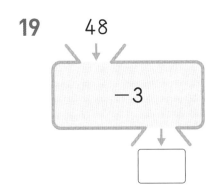

20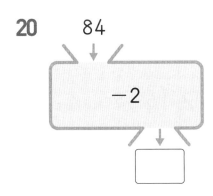

21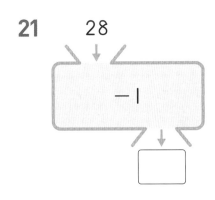

22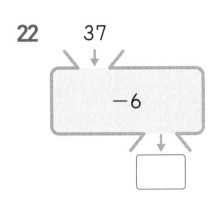

23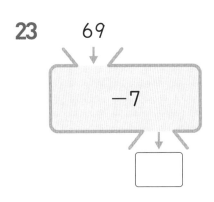

2단계 덧셈과 뺄셈(1)

4. 받아내림이 없는 (몇십몇)−(몇)

🐙 계산을 하세요.

1 26−3=☐

2 57−1=☐

3 86−2=☐

4 72−1=☐

5 47−2=☐

6 94−3=☐

7 58−6=☐

8 14−2=☐

9 36−2=☐

10 79−5=☐

11 87−7=☐

12 16−5=☐

13 63−1=☐

14 95−4=☐

15 28−4=☐

16 48−3=☐

17 34−1=☐

18 76−4=☐

🐙 두 수의 차를 빈칸에 써넣으세요.

19
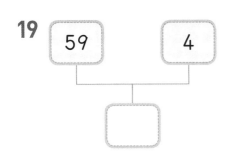

20
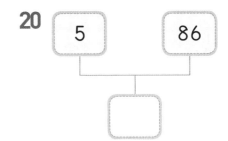

21
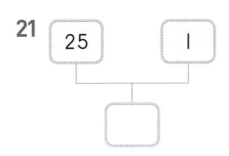

22
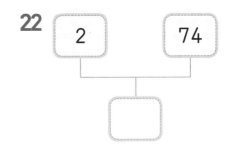

23
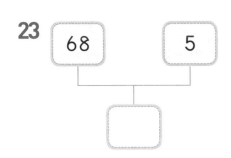

24
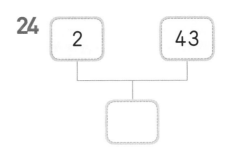

25
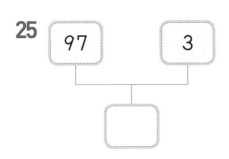

26
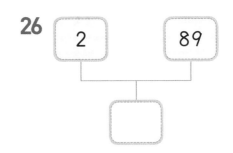

27
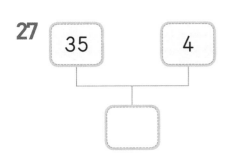

28
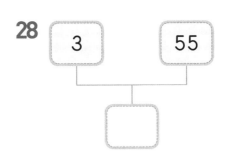

4. 받아내림이 없는 (몇십몇)-(몇)

🐙 계산을 하세요.

1 57-4

2 48-2

3 17-5

4 68-1

5 38-1

6 26-4

7 97-3

8 88-5

9 52-1

10 78-2

11 19-2

12 63-1

13 29-6

14 98-7

15 39-2

16 67-3

17 47-6

18 96-3

🐙 가장 큰 수와 가장 작은 수의 차를 구하세요.

19　6　37　48

(　　　　　　　　)

20　58　5　56

(　　　　　　　　)

21　65　4　79

(　　　　　　　　)

22　34　8　2

(　　　　　　　　)

23　7　19　17

(　　　　　　　　)

24　6　29　47

(　　　　　　　　)

25　86　83　2

(　　　　　　　　)

26　39　8　19

(　　　　　　　　)

27　9　47　5

(　　　　　　　　)

28　6　7　77

(　　　　　　　　)

2단계 덧셈과 뺄셈(1)

5. 받아내림이 없는 (몇십)─(몇십)

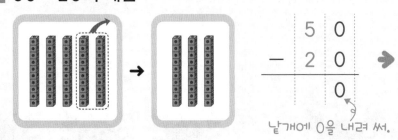

예 50─20의 계산

```
  5 0          5 0
─ 2 0    ➡    ─ 2 0
─────         ─────
    0           3 0
```

낱개에 0을 내려 써.   10개씩 묶음끼리 빼.

🐙 계산을 하세요.

1
```
  6 0
─ 3 0
─────
  3 0
```

2
```
  7 0
─ 2 0
─────
```

3
```
  5 0
─ 1 0
─────
```

4
```
  8 0
─ 1 0
─────
```

5
```
  9 0
─ 3 0
─────
```

6
```
  4 0
─ 2 0
─────
```

7
```
  7 0
─ 4 0
─────
```

8
```
  8 0
─ 4 0
─────
```

9
```
  7 0
─ 5 0
─────
```

10
```
  4 0
─ 3 0
─────
```

11
```
  3 0
─ 1 0
─────
```

12
```
  9 0
─ 4 0
─────
```

🐙 계산을 하세요.

13
50 → −40 →

14
80 → −20 →

15
70 → −30 →

16
40 → −10 →

17
90 → −50 →

18
80 → −10 →

19
60 → −10 →

20
30 → −20 →

21
90 → −40 →

22
80 → −50 →

⊙ 2단계 덧셈과 뺄셈(1)

5. 받아내림이 없는 (몇십)−(몇십)

🐙 계산을 하세요.

1
```
    7 0
-   6 0
```

2
```
    4 0
-   1 0
```

3
```
    6 0
-   2 0
```

4
```
    5 0
-   3 0
```

5
```
    9 0
-   2 0
```

6
```
    9 0
-   3 0
```

7
```
    3 0
-   2 0
```

8
```
    8 0
-   1 0
```

9
```
    4 0
-   2 0
```

10
```
    6 0
-   4 0
```

11
```
    9 0
-   6 0
```

12
```
    8 0
-   3 0
```

13
```
    5 0
-   1 0
```

14
```
    8 0
-   7 0
```

15
```
    8 0
-   2 0
```

🐙 계산을 하세요.

16

17

18

19

20

21

22

23

24

25

◎ 2단계 덧셈과 뺄셈(1)

5. 받아내림이 없는 (몇십)−(몇십)

🐙 계산을 하세요.

1 30−20=□

2 70−10=□

3 60−40=□

4 90−40=□

5 40−20=□

6 80−10=□

7 50−40=□

8 70−40=□

9 90−30=□

10 80−30=□

11 60−50=□

12 50−20=□

13 70−60=□

14 80−50=□

15 50−10=□

16 90−70=□

17 60−30=□

18 70−50=□

🐙 두 수의 차를 구하세요.

19   50   30

(   )

20   10   90

(   )

21   80   40

(   )

22   30   80

(   )

23   90   30

(   )

24   10   50

(   )

25   40   10

(   )

26   30   40

(   )

27   60   20

(   )

28   40   90

(   )

◎ 2단계 덧셈과 뺄셈(1)

5. 받아내림이 없는 (몇십)−(몇십)

🐙 계산을 하세요.

1 60−50

2 80−20

3 90−40

4 40−10

5 50−40

6 90−20

7 80−60

8 30−20

9 80−10

10 60−30

11 50−10

12 90−70

13 80−70

14 40−20

15 70−10

16 50−20

17 90−10

18 80−40

🐙 거미에 적힌 수가 되는 뺄셈식을 찾아 색칠하세요.

19

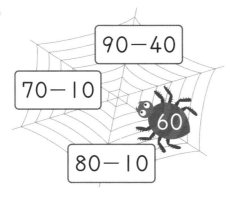

90−40

70−10

60

80−10

20

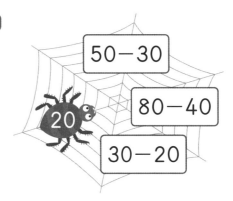

50−30

80−40

20

30−20

21

80−40

50−30

90−60

40

22

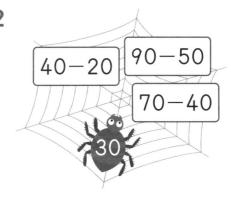

40−20

90−50

70−40

30

23

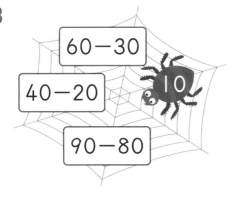

60−30

40−20

10

90−80

24

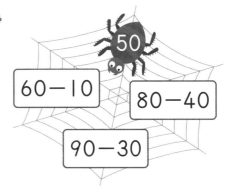

50

60−10

80−40

90−30

25

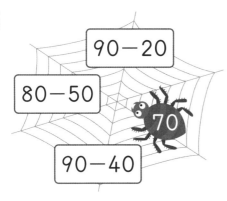

90−20

80−50

70

90−40

26

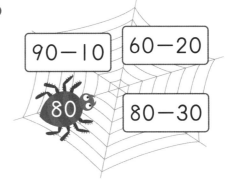

90−10

60−20

80

80−30

🎯2단계 덧셈과 뺄셈(1)

6. 받아내림이 없는 (몇십몇)−(몇십몇)

📝 46−12의 계산

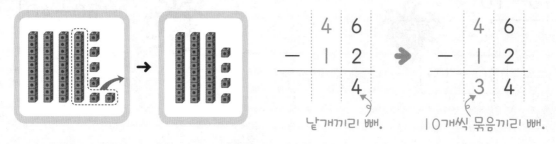

낱개끼리 빼.

10개씩 묶음끼리 빼.

🐙 계산을 하세요.

1
```
    2 6
  − 1 5
  ─────
    1 1
```

2
```
    9 5
  − 3 2
  ─────
```

3
```
    5 7
  − 1 2
  ─────
```

4
```
    8 2
  − 5 1
  ─────
```

5
```
    7 7
  − 2 5
  ─────
```

6
```
    6 8
  − 4 2
  ─────
```

7
```
    9 8
  − 3 6
  ─────
```

8
```
    5 4
  − 1 1
  ─────
```

9
```
    8 6
  − 7 4
  ─────
```

10
```
    3 6
  − 1 2
  ─────
```

11
```
    9 5
  − 1 3
  ─────
```

12
```
    4 9
  − 2 2
  ─────
```

🐙 계산을 하세요.

13
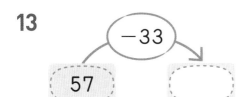

14
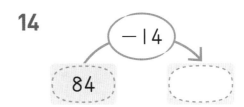

15
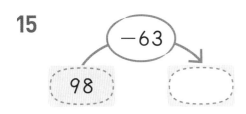

16
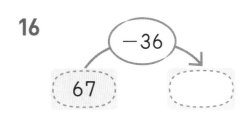

17
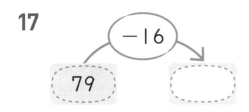

18
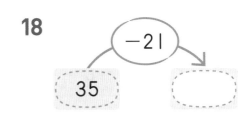

19
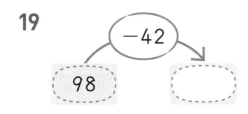

20
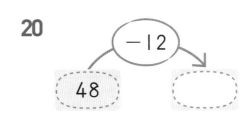

21

22
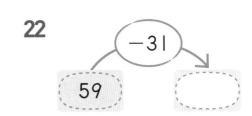

◎ 2단계 덧셈과 뺄셈(1)

6. 받아내림이 없는 (몇십몇)−(몇십몇)

🐙 계산을 하세요.

1
```
  2 7
− 1 6
```

2
```
  6 9
− 2 3
```

3
```
  8 2
− 4 2
```

4
```
  5 6
− 3 1
```

5
```
  4 3
− 1 2
```

6
```
  9 4
− 3 2
```

→ 10개씩 묶음의 수가 같을 때는
낱개끼리 계산한 값만 써!

7
```
  2 8
− 2 3
```

8
```
  7 5
− 4 4
```

9
```
  3 9
− 1 6
```

10
```
  8 9
− 3 5
```

11
```
  4 7
− 3 2
```

12
```
  5 3
− 2 1
```

13
```
  6 8
− 1 2
```

14
```
  9 5
− 7 4
```

15
```
  7 7
− 6 1
```

🐙 두 수의 차를 구하세요.

16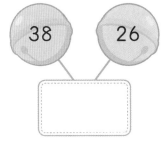

17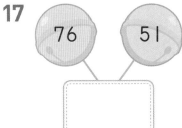

18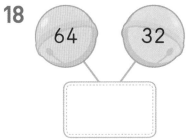

19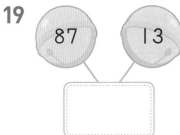

20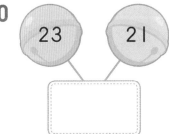

21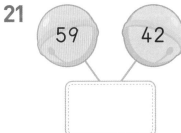

22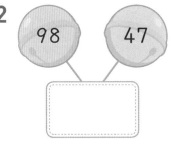

23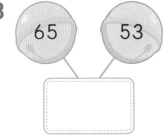

24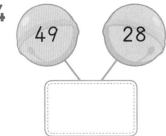

25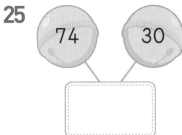

6. 받아내림이 없는 (몇십몇)－(몇십몇)

🐙 계산을 하세요.

1 $72-51=$ ☐

2 $29-17=$ ☐

3 $46-33=$ ☐

4 $84-32=$ ☐

5 $37-24=$ ☐

6 $58-14=$ ☐

7 $66-45=$ ☐

8 $89-13=$ ☐

9 $43-20=$ ☐

10 $79-54=$ ☐

11 $95-23=$ ☐

12 $61-50=$ ☐

13 $36-14=$ ☐

14 $59-22=$ ☐

15 $93-83=$ ☐

16 $85-54=$ ☐

17 $76-12=$ ☐

18 $69-36=$ ☐

🐙 두 수의 차를 구하세요.

19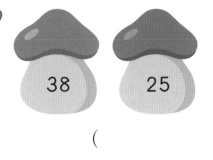
38   25

(   )

20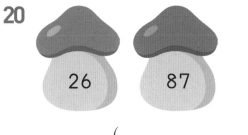
26   87

(   )

21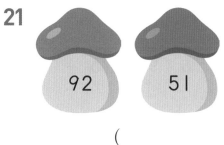
92   51

(   )

22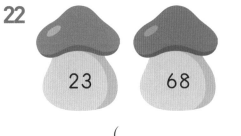
23   68

(   )

23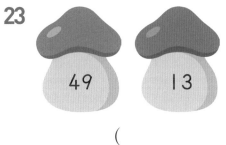
49   13

(   )

24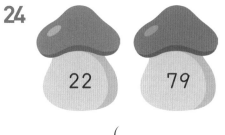
22   79

(   )

25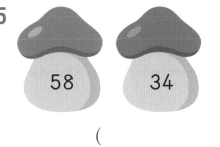
58   34

(   )

26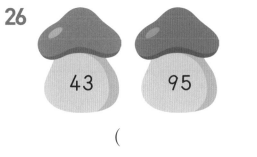
43   95

(   )

27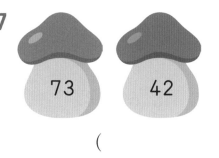
73   42

(   )

28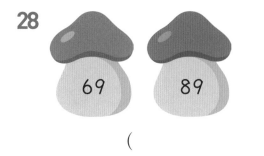
69   89

(   )

2단계 덧셈과 뺄셈(1)

6. 받아내림이 없는 (몇십몇) − (몇십몇)

🐙 계산을 하세요.

1 65−14

2 29−17

3 58−43

4 86−21

5 72−40

6 99−25

7 53−12

8 89−62

9 37−26

10 97−34

11 68−24

12 59−42

13 46−23

14 78−37

15 85−21

16 39−14

17 96−55

18 64−41

🐙 차가 같은 뺄셈식끼리 선으로 이어 보세요.

19

57-14   69-23

83-41   94-51

20

89-23   85-14

78-12   64-12

21

58-24   35-11

74-32   67-43

22

56-13   46-11

88-53   65-40

23

62-41   76-53

59-17   85-64

24

22-11   96-25

86-52   48-14

💡 **생활 속 연산**

혜진이와 진영이는 줄넘기를 하였습니다. 혜진이는 줄넘기를 68번 하였고, 진영이는 54번 하였습니다. 혜진이는 진영이보다 줄넘기를 몇 번 더 많이 했는지 구하세요.

(   )번

◎ 2단계 덧셈과 뺄셈(1)

마무리 연산

🐙 계산을 하세요.

1
```
   2 5
+    2
-----
```

2
```
   4 7
+    1
-----
```

3
```
   8 2
+    7
-----
```

4
```
   5 1
+    3
-----
```

5
```
   9 1
+    3
-----
```

6
```
   7 3
+    5
-----
```

7
```
   6 0
+ 2 0
-----
```

8
```
   1 0
+ 4 0
-----
```

9
```
   3 0
+ 3 0
-----
```

10
```
   4 6
+ 1 2
-----
```

11
```
   7 3
+ 2 6
-----
```

12
```
   5 4
+ 3 1
-----
```

13
```
   6 2
+ 3 4
-----
```

14
```
   1 2
+ 4 2
-----
```

15
```
   3 5
+ 6 2
-----
```

🐙 계산을 하세요.

16 $17+2=$ ☐

17 $54+4=$ ☐

18 $63+1=$ ☐

19 $35+1=$ ☐

20 $21+2=$ ☐

21 $42+3=$ ☐

22 $50+40=$ ☐

23 $20+40=$ ☐

24 $40+30=$ ☐

25 $10+70=$ ☐

26 $30+20=$ ☐

27 $20+20=$ ☐

28 $28+41=$ ☐

29 $42+53=$ ☐

30 $74+14=$ ☐

31 $51+12=$ ☐

32 $33+41=$ ☐

33 $60+22=$ ☐

◎ 2단계 덧셈과 뺄셈(1)

마무리 연산

🐙 계산을 하세요.

1
```
    5 3
  -   2
```

2
```
    4 8
  -   5
```

3
```
    1 9
  -   2
```

4
```
    6 5
  -   3
```

5
```
    7 6
  -   1
```

6
```
    8 4
  -   2
```

7
```
    6 0
  - 2 0
```

8
```
    8 0
  - 1 0
```

9
```
    4 0
  - 3 0
```

10
```
    3 7
  - 1 5
```

11
```
    7 6
  - 4 5
```

12
```
    6 9
  - 5 1
```

13
```
    4 4
  - 1 3
```

14
```
    8 5
  - 5 3
```

15
```
    9 8
  - 2 6
```

🐙 계산을 하세요.

16 94−2=☐

17 78−5=☐

18 37−3=☐

19 56−4=☐

20 49−1=☐

21 28−2=☐

22 80−20=☐

23 50−10=☐

24 90−60=☐

25 70−20=☐

26 60−50=☐

27 40−20=☐

28 85−23=☐

29 46−12=☐

30 54−31=☐

31 77−46=☐

32 99−84=☐

33 67−21=☐

3

덧셈과 뺄셈(2)

계산 실수를 하지 않게
집중해서 풀어 보자!

학습 결과와 시간을 써 보세요!

학습 내용	학습 회차	맞힌 개수/걸린 시간
1. 받아올림이 없는 세 수의 덧셈	DAY 01	/
	DAY 02	/
	DAY 03	/
	DAY 04	/
2. 받아내림이 없는 세 수의 뺄셈	DAY 05	/
	DAY 06	/
	DAY 07	/
	DAY 08	/
3. 두 수를 더하기	DAY 09	/
	DAY 10	/
	DAY 11	/
4. 10이 되는 더하기	DAY 12	/
	DAY 13	/
	DAY 14	/
5. 10에서 빼기	DAY 15	/
	DAY 16	/
	DAY 17	/
6. 10을 만들어 더하기	DAY 18	/
	DAY 19	/
	DAY 20	/
마무리 연산	DAY 21	/
	DAY 22	/

기초력 상승!

하나 둘!
하나 둘!

◎3단계 덧셈과 뺄셈(2)

1. 받아올림이 없는 세 수의 덧셈

예 4+3+2의 계산

$$4+3+2=9$$

$$\begin{array}{r} 4 \\ +\ 3 \\ \hline 7 \end{array} \qquad \begin{array}{r} 7 \\ +\ 2 \\ \hline 9 \end{array}$$

세 수의 덧셈은 앞의 두 수를 먼저 더하고, 두 수를 더해서 나온 수에 나머지 한 수를 더해!

🐙 ☐ 안에 알맞은 수를 써넣으세요.

1 4+2+1= 7

$$\begin{array}{r} 4 \\ +\ 2 \\ \hline 6 \end{array} \qquad \begin{array}{r} 6 \\ +\ 1 \\ \hline 7 \end{array}$$

2 2+1+5= ☐

$$\begin{array}{r} 2 \\ +\ 1 \\ \hline \ \end{array} \qquad \begin{array}{r} \ \\ +\ 5 \\ \hline \ \end{array}$$

3 1+1+3= ☐

$$\begin{array}{r} 1 \\ +\ 1 \\ \hline \ \end{array} \qquad \begin{array}{r} \ \\ +\ 3 \\ \hline \ \end{array}$$

4 2+2+3= ☐

$$\begin{array}{r} 2 \\ +\ 2 \\ \hline \ \end{array} \qquad \begin{array}{r} \ \\ +\ 3 \\ \hline \ \end{array}$$

5 6+1+2= ☐

$$\begin{array}{r} 6 \\ +\ 1 \\ \hline \ \end{array} \qquad \begin{array}{r} \ \\ +\ 2 \\ \hline \ \end{array}$$

6 2+1+2= ☐

$$\begin{array}{r} 2 \\ +\ 1 \\ \hline \ \end{array} \qquad \begin{array}{r} \ \\ +\ 2 \\ \hline \ \end{array}$$

🐙 ☐ 안에 알맞은 수를 써넣으세요.

7

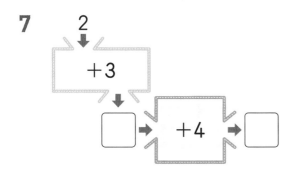

8

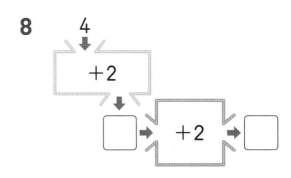

9

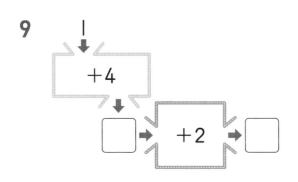

10

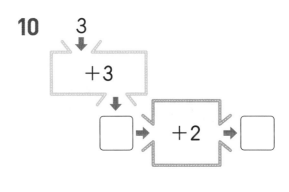

11

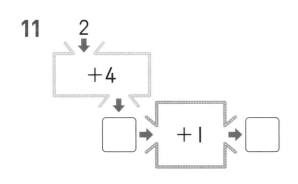

12

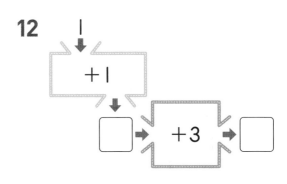

13

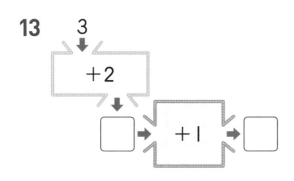

14

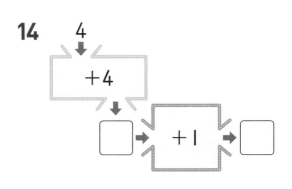

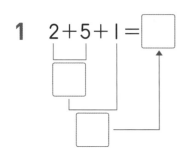

DAY 02

◎ 3단계 덧셈과 뺄셈(2)

1. 받아올림이 없는 세 수의 덧셈

🐙 ☐ 안에 알맞은 수를 써넣으세요.

1 2＋5＋1＝☐

2 1＋1＋5＝☐

3 1＋4＋4＝☐

4 7＋1＋1＝☐

5 4＋2＋2＝☐

6 5＋1＋2＝☐

7 1＋1＋3＝☐

8 3＋2＋4＝☐

9 2＋1＋1＝☐

10 4＋1＋4＝☐

11 2＋2＋3＝☐

12 5＋3＋1＝☐

계산을 하세요.

13
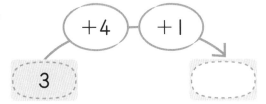

14
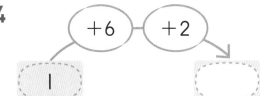

15
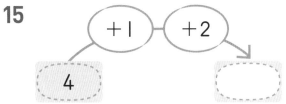

16
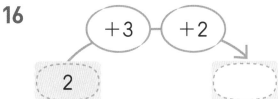

17
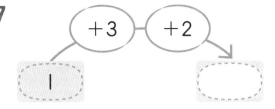

18
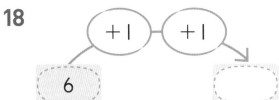

19
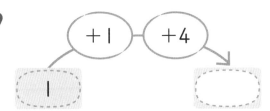

20
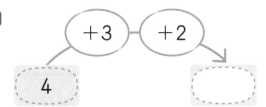

21
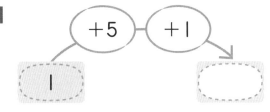

22
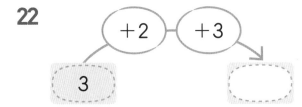

🎯 3단계 덧셈과 뺄셈(2)

1. 받아올림이 없는 세 수의 덧셈

🐙 계산을 하세요.

1 $2+5+2=$ ☐

2 $3+1+4=$ ☐

3 $1+3+3=$ ☐

4 $4+3+2=$ ☐

5 $1+6+1=$ ☐

6 $1+3+1=$ ☐

7 $2+3+3=$ ☐

8 $3+2+2=$ ☐

9 $5+2+1=$ ☐

10 $3+1+5=$ ☐

11 $2+1+1=$ ☐

12 $3+4+2=$ ☐

13 $1+1+6=$ ☐

14 $2+2+2=$ ☐

15 $3+1+2=$ ☐

16 $1+3+4=$ ☐

17 $2+2+3=$ ☐

18 $1+7+1=$ ☐

🐙 세 수의 합을 빈 곳에 써넣으세요.

19

20

21 1 · 2 · 6 · ☐

22 3 · 2 · 1 · ☐

23 4 · 1 · 3 · ☐

24 1 · 1 · 2 · ☐

25 2 · 3 · 4 · ☐

26 1 · 4 · 1 · ☐

27 4 · 2 · 2 · ☐

28 2 · 3 · 2 · ☐

3단계 덧셈과 뺄셈(2)

1. 받아올림이 없는 세 수의 덧셈

🐙 계산을 하세요.

1 2+3+4

2 1+2+5

3 2+1+3

4 5+2+2

5 2+2+1

6 1+3+1

7 2+2+2

8 6+2+1

9 1+1+2

10 3+1+3

11 4+2+1

12 2+2+4

13 3+5+1

14 1+2+6

15 2+4+2

16 4+1+1

17 5+1+3

18 1+2+2

🐙 주사위 3개를 던져 나온 눈입니다. 3개 눈의 합을 구하세요.

19   (   )

20   (   )

21   (   )

22   (   )

23   (   )

24   (   )

25   (   )

26   (   )

💡 **생활 속 연산**

친구들이 가위바위보를 하였습니다. 준희와 진선이는 가위를 냈고 선영이는 보를 냈습니다. 세 친구가 펼친 손가락은 모두 몇 개인지 구하세요.

(   )개

2. 받아내림이 없는 세 수의 뺄셈

예 9-5-2의 계산

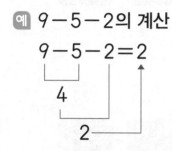

$$9-5-2=2$$

$$\begin{array}{r} 9 \\ -\ 5 \\ \hline 4 \end{array} \qquad \begin{array}{r} 4 \\ -\ 2 \\ \hline 2 \end{array}$$

> 세 수의 뺄셈은 앞의 두 수의 뺄셈을 먼저 하고, 두 수를 빼서 나온 수에서 나머지 한 수를 빼!

🐙 ☐ 안에 알맞은 수를 써넣으세요.

1 $7-2-4=$ ☐ 1

$$\begin{array}{r} 7 \\ -\ 2 \\ \hline 5 \end{array} \qquad \begin{array}{r} 5 \\ -\ 4 \\ \hline 1 \end{array}$$

2 $9-7-1=$ ☐

$$\begin{array}{r} 9 \\ -\ 7 \\ \hline \end{array} \qquad \begin{array}{r} \\ -\ 1 \\ \hline \end{array}$$

3 $8-1-2=$ ☐

$$\begin{array}{r} 8 \\ -\ 1 \\ \hline \end{array} \qquad \begin{array}{r} \\ -\ 2 \\ \hline \end{array}$$

4 $6-2-3=$ ☐

$$\begin{array}{r} 6 \\ -\ 2 \\ \hline \end{array} \qquad \begin{array}{r} \\ -\ 3 \\ \hline \end{array}$$

5 $9-4-2=$ ☐

$$\begin{array}{r} 9 \\ -\ 4 \\ \hline \end{array} \qquad \begin{array}{r} \\ -\ 2 \\ \hline \end{array}$$

6 $8-2-2=$ ☐

$$\begin{array}{r} 8 \\ -\ 2 \\ \hline \end{array} \qquad \begin{array}{r} \\ -\ 2 \\ \hline \end{array}$$

🐙 빈칸에 알맞은 수를 써넣으세요.

7
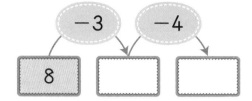

8
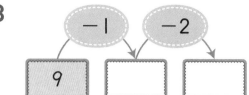

9
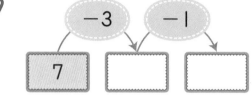

10
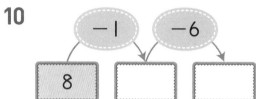

11
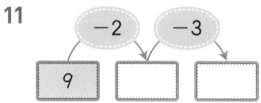

12
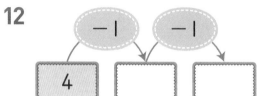

13
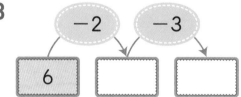

14
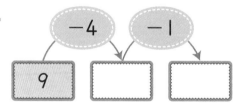

15
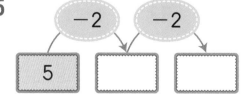

16
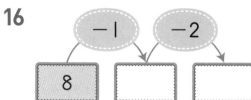

DAY 06

2. 받아내림이 없는 세 수의 뺄셈

🐙 ☐ 안에 알맞은 수를 써넣으세요.

1 4 − 2 − 1 = ☐

2 8 − 3 − 2 = ☐

3 9 − 4 − 3 = ☐

4 6 − 1 − 4 = ☐

5 8 − 2 − 1 = ☐

6 7 − 4 − 2 = ☐

7 9 − 1 − 3 = ☐

8 3 − 1 − 1 = ☐

9 9 − 2 − 2 = ☐

10 8 − 4 − 2 = ☐

11 6 − 4 − 1 = ☐

12 8 − 1 − 1 = ☐

🐙 계산을 하세요.

13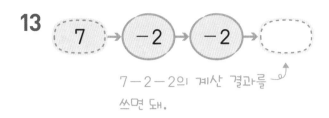

7 → −2 → −2 →

7−2−2의 계산 결과를
쓰면 돼.

14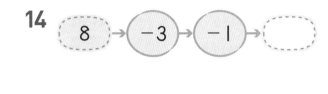

8 → −3 → −1 →

15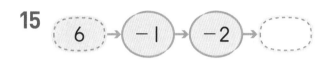

6 → −1 → −2 →

16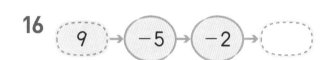

9 → −5 → −2 →

17

9 → −2 → −3 →

18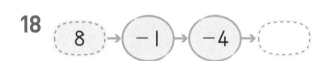

8 → −1 → −4 →

19

7 → −3 → −1 →

20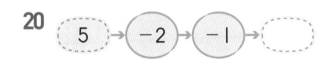

5 → −2 → −1 →

21

9 → −1 → −6 →

22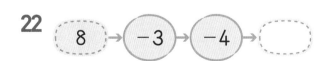

8 → −3 → −4 →

◎ 3단계 덧셈과 뺄셈(2)

2. 받아내림이 없는 세 수의 뺄셈

🐙 계산을 하세요.

1 8−2−5=☐

2 7−1−2=☐

3 9−2−2=☐

4 6−3−1=☐

5 7−1−1=☐

6 9−5−2=☐

7 9−2−4=☐

8 9−3−1=☐

9 8−5−2=☐

10 4−1−2=☐

11 9−3−4=☐

12 8−4−1=☐

13 6−2−2=☐

14 8−3−1=☐

15 9−1−5=☐

16 9−5−3=☐

17 8−2−4=☐

18 7−3−2=☐

🐙 계산을 하세요.

19

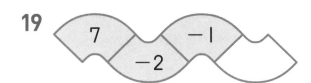

20

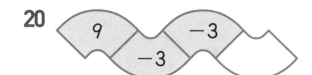

21

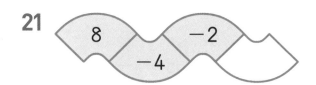

22

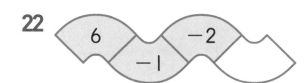

23

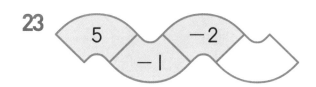

24

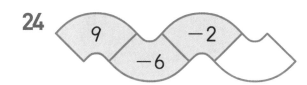

25

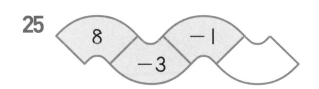

26

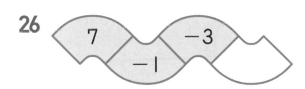

27

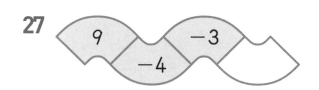

28

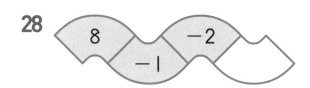

🎯 3단계 덧셈과 뺄셈(2)

2. 받아내림이 없는 세 수의 뺄셈

🐙 계산을 하세요.

1 5−2−2

2 9−1−7

3 8−1−3

4 7−3−3

5 8−2−3

6 5−1−1

7 9−1−6

8 6−2−1

9 9−3−2

10 7−1−3

11 9−4−3

12 8−3−3

13 6−3−2

14 9−2−5

15 4−2−1

16 8−4−3

17 9−1−4

18 8−1−5

🐙 가장 큰 수에서 나머지 두 수를 뺀 값을 구하세요.

19

(   )

20

(   )

21
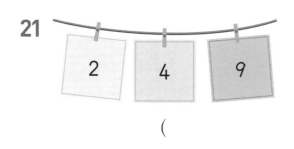

(   )

22

(   )

23
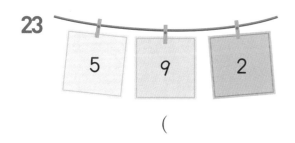

(   )

24

(   )

25
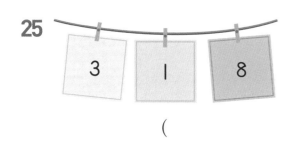

(   )

26

(   )

💡 **생활 속 연산**

전깃줄에 참새 8마리가 앉아 있습니다. 참새 2마리가
날아가고 다시 3마리가 날아갔다면 전깃줄에 남아 있
는 참새는 몇 마리인지 구하세요.

(   )마리

🎯 **3단계** 덧셈과 뺄셈(2)

3. 두 수를 더하기

예 4+8의 계산

방법 1 이어 세기로 두 수 더하기

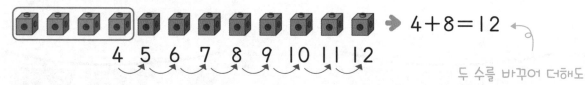

➡ 4+8=12

두 수를 바꾸어 더해도 합은 같아!

방법 2 두 수를 바꾸어 더하기

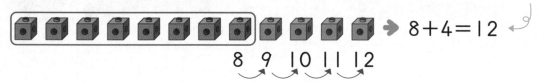

➡ 8+4=12

🐙 ☐ 안에 알맞은 수를 써넣으세요.

1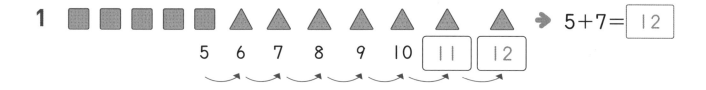

5 6 7 8 9 10 |11| |12|

➡ 5+7= |12|

2

8 9 10 ☐ ☐ ☐

➡ 8+5= ☐

3

7 8 9 ☐ ☐ ☐ ☐

➡ 7+6= ☐

🐙 그림을 보고 ☐ 안에 알맞은 수를 써넣으세요.

4

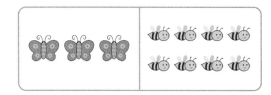

$3+8=$ ☐

5

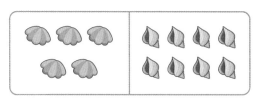

$5+8=$ ☐

6

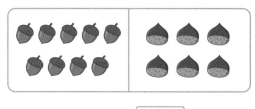

$9+6=$ ☐

7

$6+7=$ ☐

8

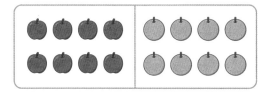

☐$+8=$ ☐

9

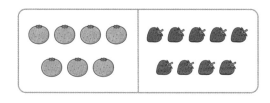

$7+$☐$=$ ☐

10

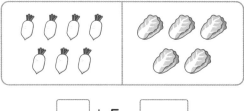

☐$+5=$ ☐

11

$8+$☐$=$ ☐

12

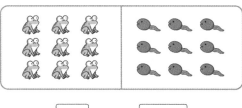

☐$+9=$ ☐

13

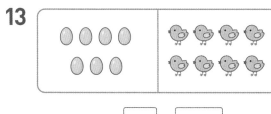

$7+$☐$=$ ☐

3. 두 수를 더하기

 □ 안에 알맞은 수를 써넣으세요.

1
$6+5=$ ☐
$5+6=$ ☐

2
$8+4=$ ☐
$4+8=$ ☐

3
$3+9=$ ☐
$9+3=$ ☐

4
$7+8=$ ☐
$8+7=$ ☐

5
$4+7=$ ☐
$7+4=$ ☐

6
$6+8=$ ☐
$8+6=$ ☐

🐙 두 수의 합을 빈 곳에 써넣으세요.

7

8

9

10

11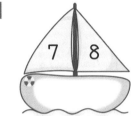

12

13

14

15

16

17

18

19

20

21

3단계 덧셈과 뺄셈(2)

3. 두 수를 더하기

🐙 계산을 하세요.

1 $3+8=$ ☐

2 $5+7=$ ☐

3 $6+9=$ ☐

4 $7+7=$ ☐

5 $8+7=$ ☐

6 $9+4=$ ☐

7 $5+9=$ ☐

8 $9+8=$ ☐

9 $4+8=$ ☐

10 $6+6=$ ☐

11 $5+8=$ ☐

12 $6+7=$ ☐

13 $9+7=$ ☐

14 $7+6=$ ☐

15 $9+9=$ ☐

16 $7+5=$ ☐

17 $9+2=$ ☐

18 $8+8=$ ☐

🐙 합이 같은 것끼리 선으로 이으세요.

19

3+9	6+7
8+7	9+3
7+6	7+8

20

5+8	9+6
7+4	4+7
6+9	8+5

21

6+8	9+8
8+9	8+6
7+5	5+7

22

5+9	4+8
8+4	6+7
7+6	9+5

23

3+8	8+3
9+5	7+6
6+7	5+9

24

6+8	8+6
5+6	6+5
8+7	7+8

 생활 속 연산

엘리베이터에 6명이 타고 있었습니다. 다음 층에서 5명이 더 탔다면 엘리베이터 안에는 모두 몇 명이 타고 있는지 구하세요.

(   )명

3단계 덧셈과 뺄셈(2)

4. 10이 되는 더하기

예 4+□=10에서 □에 알맞은 수 구하기

모아서 10이 되는
두 수를 이용해!

구슬이 10개가 되도록 ⚫을 6개 그립니다.

➡ 4+ 6 =10

🐙 그림을 보고 □ 안에 알맞은 수를 써넣으세요.

1

3+ 7 =10

2

□+9=10

3

5+□=10

4

□+4=10

5

8+□=10

6

□+7=10

🐙 10이 되는 덧셈식에 ◯표 하세요.

7　3+7　(　　　)　　　**8**　1+8　(　　　)

　　3+8　(　　　)　　　　　1+9　(　　　)

9　5+4　(　　　)　　　**10**　6+4　(　　　)

　　5+5　(　　　)　　　　　6+5　(　　　)

11　2+7　(　　　)　　　**12**　7+3　(　　　)

　　2+8　(　　　)　　　　　7+4　(　　　)

13　4+6　(　　　)　　　**14**　8+2　(　　　)

　　4+7　(　　　)　　　　　8+3　(　　　)

15　9+5　(　　　)　　　**16**　5+7　(　　　)

　　9+1　(　　　)　　　　　5+5　(　　　)

🎯3단계 덧셈과 뺄셈(2)

4. 10이 되는 더하기

🐙 10이 되도록 ○를 그려 넣고 ☐ 안에 알맞은 수를 써넣으세요.

1

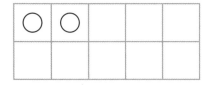

$2+\boxed{}=10$

2

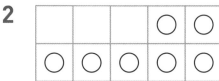

$\boxed{}+7=10$

3

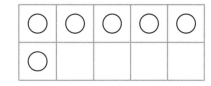

$6+\boxed{}=10$

4

$\boxed{}+1=10$

5

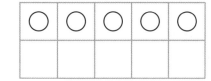

$5+\boxed{}=10$

6

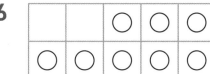

$\boxed{}+8=10$

7

$1+\boxed{}=10$

8

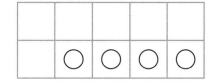

$\boxed{}+4=10$

9

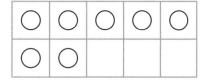

$7+\boxed{}=10$

10

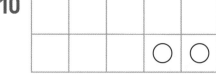

$\boxed{}+2=10$

🐙 동물의 수와 모아서 10이 되는 수를 찾아 색칠하세요.

11

(1)　(2)　(3)

12

(4)　(5)　(6)

13

(6)　(7)　(8)

14

(4)　(5)　(6)

15

(5)　(6)　(7)

16

(7)　(8)　(9)

17

(1)　(2)　(3)

18

(5)　(6)　(7)

19

(6)　(7)　(8)

20

(1)　(2)　(3)

4. 10이 되는 더하기

🐙 ☐ 안에 알맞은 수를 써넣으세요.

1 ☐ $+3=10$

2 $4+$ ☐ $=10$

3 ☐ $+9=10$

4 ☐ $+5=10$

5 $2+$ ☐ $=10$

6 ☐ $+6=10$

7 ☐ $+9=10$

8 $8+$ ☐ $=10$

9 ☐ $+7=10$

10 ☐ $+2=10$

11 $3+$ ☐ $=10$

12 ☐ $+4=10$

13 ☐ $+1=10$

14 $6+$ ☐ $=10$

15 ☐ $+3=10$

16 ☐ $+8=10$

17 $5+$ ☐ $=10$

18 ☐ $+2=10$

🐙 보기 와 같이 더해서 10이 되는 두 수끼리 ⬭로 묶고, 덧셈식을 완성하세요.

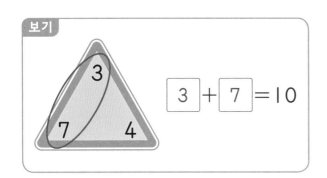

19
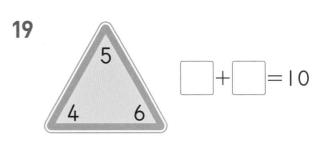

$\boxed{}+\boxed{}=10$

20

$\boxed{}+\boxed{}=10$

21
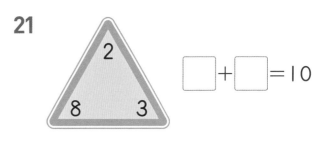

$\boxed{}+\boxed{}=10$

22
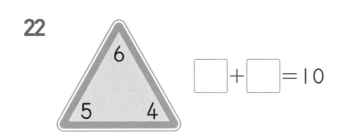

$\boxed{}+\boxed{}=10$

23
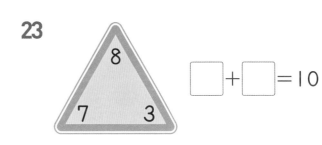

$\boxed{}+\boxed{}=10$

24
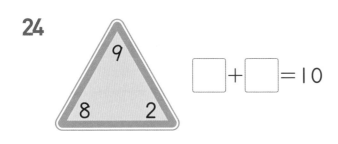

$\boxed{}+\boxed{}=10$

25
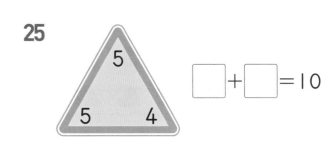

$\boxed{}+\boxed{}=10$

26
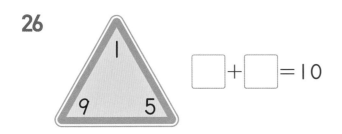

$\boxed{}+\boxed{}=10$

27

$\boxed{}+\boxed{}=10$

◎3단계 덧셈과 뺄셈(2)

5. 10에서 빼기

예 10-3의 계산

모아서 10이 되는
두 수를 이용해!

구슬 10개에서 3개를 빼면 7개가 남습니다.

➡ 10-3=7

그림을 보고 ☐ 안에 알맞은 수를 써넣으세요.

1

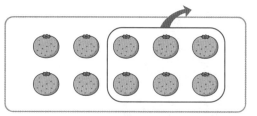

10-6= 4

2

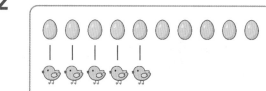

10-5= ☐

3

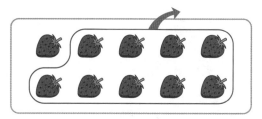

10-9= ☐

4

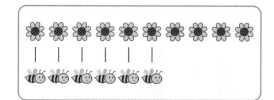

10-6= ☐

5

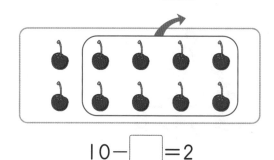

10- ☐ =2

6

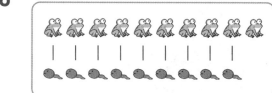

10- ☐ =1

🐙 10을 두 수로 가르기 하고 ☐ 안에 알맞은 수를 써넣으세요.

7
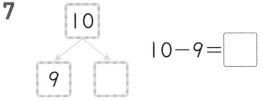
$10-9=\boxed{}$

8
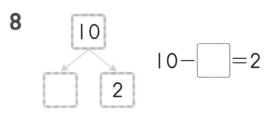
$10-\boxed{}=2$

9
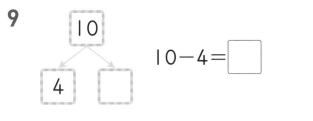
$10-4=\boxed{}$

10
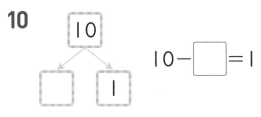
$10-\boxed{}=1$

11
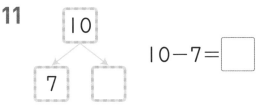
$10-7=\boxed{}$

12
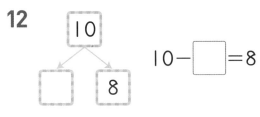
$10-\boxed{}=8$

13
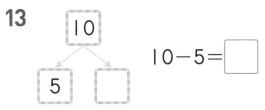
$10-5=\boxed{}$

14
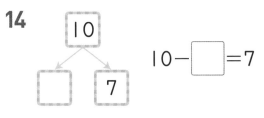
$10-\boxed{}=7$

15
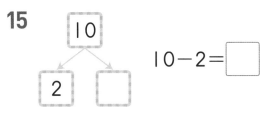
$10-2=\boxed{}$

16
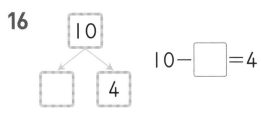
$10-\boxed{}=4$

🎯 **3단계** 덧셈과 뺄셈(2)

5. 10에서 빼기

🐙 식에 맞게 /으로 ◯를 지우고 ☐ 안에 알맞은 수를 써넣으세요.

1

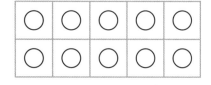

$10-3=\boxed{}$

2

$10-\boxed{}=8$

3

$10-6=\boxed{}$

4

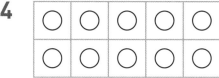

$10-\boxed{}=5$

5

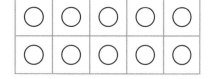

$10-1=\boxed{}$

6

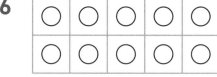

$10-\boxed{}=6$

7

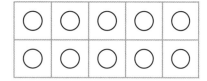

$10-8=\boxed{}$

8

$10-\boxed{}=1$

9

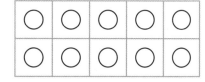

$10-7=\boxed{}$

10

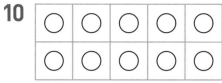

$10-\boxed{}=4$

🐙 계산을 하세요.

11
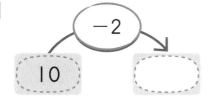

12
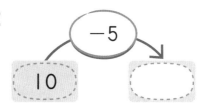

13
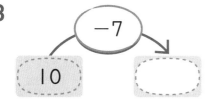

14
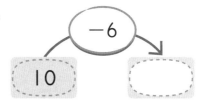

15
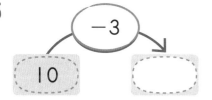

16
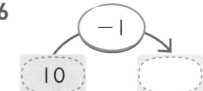

17
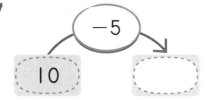

18
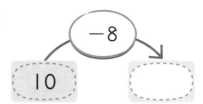

19
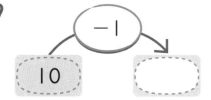

20
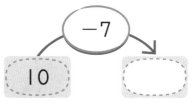

21
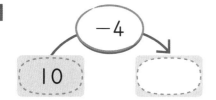

22

3단계 덧셈과 뺄셈(2)

5. 10에서 빼기

🐙 ☐ 안에 알맞은 수를 써넣으세요.

1 $10 - \boxed{} = 9$

2 $10 - 3 = \boxed{}$

3 $10 - 2 = \boxed{}$

4 $10 - \boxed{} = 3$

5 $10 - 6 = \boxed{}$

6 $10 - 5 = \boxed{}$

7 $10 - \boxed{} = 8$

8 $10 - 9 = \boxed{}$

9 $10 - 7 = \boxed{}$

10 $10 - \boxed{} = 6$

11 $10 - 5 = \boxed{}$

12 $10 - 8 = \boxed{}$

13 $10 - \boxed{} = 1$

14 $10 - 7 = \boxed{}$

15 $10 - 4 = \boxed{}$

16 $10 - \boxed{} = 4$

17 $10 - 1 = \boxed{}$

18 $10 - 2 = \boxed{}$

🐙 두 수의 차를 구하고 보기 에서 그 차의 글자를 찾아 쓰세요.

보기	1	2	3	4	5	6	7	8	9
	양	전	물	기	보	자	이	거	고

19 10−5= 5 ➡ (보)

      10−7= 3 ➡ (물)

20 10−9= ☐ ➡ ( )

      10−5= ☐ ➡ ( )

21 10−4= ☐ ➡ ( )

      10−8= ☐ ➡ ( )

      10−2= ☐ ➡ ( )

22 10−7= ☐ ➡ ( )

      10−1= ☐ ➡ ( )

      10−6= ☐ ➡ ( )

23 10−5= ☐ ➡ ( )

      10−4= ☐ ➡ ( )

      10−6= ☐ ➡ ( )

24 10−1= ☐ ➡ ( )

      10−9= ☐ ➡ ( )

      10−3= ☐ ➡ ( )

💡 생활 속 연산

10개가 들어 있는 달걀 한 판을 샀습니다. 그중 3개를 먹었다면 남은 달걀은 몇 개인지 구하세요.

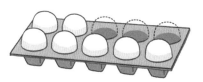

(   )개

◎ 3단계 덧셈과 뺄셈(2)

6. 10을 만들어 더하기

● 10을 만들어 더하기

방법1 예 4+6+3=13

10

13

10이 되는 앞의 두 수를
먼저 더해.

방법2 예 4+7+3=14

10

14

10이 되는 뒤의 두 수를
먼저 더해.

🐙 ☐ 안에 알맞은 수를 써넣으세요.

1 1+9+3= 13

10

13

2 3+7+8= ☐

3 5+5+6= ☐

4 4+6+9= ☐

5 8+2+4= ☐

6 7+3+8= ☐

7 1+6+4= ☐

8 5+2+8= ☐

9 6+9+1= ☐

🐙 합이 10이 되는 두 수를 ⬭로 묶고, 세 수의 합을 구하세요.

10

$4+6+5=$ ☐

11
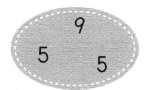

$9+5+5=$ ☐

12

$7+3+8=$ ☐

13
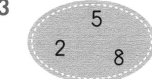

$5+2+8=$ ☐

14

$9+1+4=$ ☐

15

$1+4+6=$ ☐

16
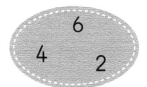

$6+4+2=$ ☐

17

$4+3+7=$ ☐

18

$8+2+6=$ ☐

19
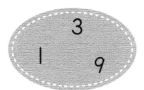

$3+1+9=$ ☐

6. 10을 만들어 더하기

합이 10이 되는 두 수를 ◯로 묶고, ☐ 안에 알맞은 수를 써넣으세요.

1 $9+1+4=$ ☐

2 $2+8+7=$ ☐

3 $4+7+3=$ ☐

4 $5+5+7=$ ☐

5 $6+1+9=$ ☐

6 $4+6+2=$ ☐

7 $6+8+2=$ ☐

8 $1+4+6=$ ☐

9 $8+2+9=$ ☐

10 $7+6+4=$ ☐

11 $1+9+5=$ ☐

12 $3+7+8=$ ☐

13 $4+2+8=$ ☐

14 $6+3+7=$ ☐

15 $2+5+5=$ ☐

16 $6+4+5=$ ☐

17 $3+9+1=$ ☐

18 $7+3+2=$ ☐

🐙 합이 10이 되는 두 수에 색칠하고, 세 수의 합을 구하세요.

19
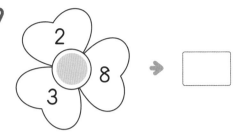

20
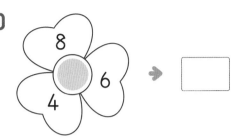

21
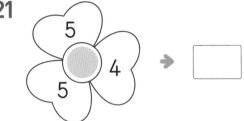

22

23
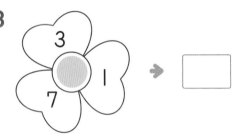

24

25
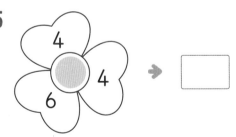

26
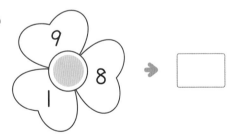

27

28

3단계 덧셈과 뺄셈(2)

6. 10을 만들어 더하기

🐙 계산을 하세요.

1 $2+8+3=$ ☐ **2** $5+1+9=$ ☐ **3** $1+5+5=$ ☐

4 $4+3+7=$ ☐ **5** $6+4+5=$ ☐ **6** $1+9+8=$ ☐

7 $9+4+6=$ ☐ **8** $7+3+2=$ ☐ **9** $4+8+2=$ ☐

10 $4+6+6=$ ☐ **11** $3+2+8=$ ☐ **12** $5+5+9=$ ☐

13 $8+2+4=$ ☐ **14** $9+1+2=$ ☐ **15** $8+6+4=$ ☐

16 $7+9+1=$ ☐ **17** $4+7+3=$ ☐ **18** $3+7+6=$ ☐

🐙 자물쇠에 칠해진 세 수의 합을 ☐ 안에 써넣으세요.

19

20

21

22

23

24

💡 **생활 속 연산**

혜리는 카네이션을 만드는 데 빨간색 색종이 4장, 분홍색 색종이 6장, 초록색 색종이 8장을 사용하였습니다. 혜리가 사용한 색종이는 모두 몇 장인지 구하세요.

(   )장

◎ 3단계 덧셈과 뺄셈(2)

마무리 연산

🐙 계산을 하세요.

1 $1+4+3=\boxed{}$

2 $3+5+1=\boxed{}$

3 $2+1+2=\boxed{}$

4 $2+2+3=\boxed{}$

5 $4+1+2=\boxed{}$

6 $3+2+1=\boxed{}$

7 $2+5+1=\boxed{}$

8 $7+1+1=\boxed{}$

9 $3+2+3=\boxed{}$

10 $8-1-4=\boxed{}$

11 $6-2-3=\boxed{}$

12 $7-5-1=\boxed{}$

13 $9-3-2=\boxed{}$

14 $8-3-1=\boxed{}$

15 $9-2-6=\boxed{}$

16 $5-1-2=\boxed{}$

17 $7-3-3=\boxed{}$

18 $9-4-2=\boxed{}$

🐙 계산을 하세요.

19 $4+8=$ ☐

20 $7+6=$ ☐

21 $6+9=$ ☐

22 $5+8=$ ☐

23 $8+6=$ ☐

24 $9+3=$ ☐

25 $7+7=$ ☐

26 $6+6=$ ☐

27 $8+9=$ ☐

28 $9+4=$ ☐

29 $8+3=$ ☐

30 $7+8=$ ☐

31 $2+9=$ ☐

32 $6+7=$ ☐

33 $5+9=$ ☐

34 $9+7=$ ☐

35 $4+9=$ ☐

36 $7+4=$ ☐

◎ 3단계 덧셈과 뺄셈(2)

마무리 연산

🐙 ☐ 안에 알맞은 수를 써넣으세요.

1 ☐+5=10

2 2+☐=10

3 7+☐=10

4 ☐+6=10

5 1+☐=10

6 4+☐=10

7 ☐+3=10

8 8+☐=10

9 9+☐=10

10 10-5=☐

11 10-☐=3

12 10-1=☐

13 10-8=☐

14 10-☐=1

15 10-6=☐

16 10-7=☐

17 10-☐=7

18 10-2=☐

🐙 합이 10이 되는 두 수를 ◯로 묶고, 세 수의 합을 구하세요.

19 $6+4+5=$ ☐

20 $1+7+3=$ ☐

21 $7+8+2=$ ☐

22 $5+1+9=$ ☐

23 $2+8+4=$ ☐

24 $8+4+6=$ ☐

25 $7+3+2=$ ☐

26 $5+3+7=$ ☐

27 $9+1+7=$ ☐

28 $9+6+4=$ ☐

29 $5+5+9=$ ☐

30 $3+2+8=$ ☐

31 $4+6+1=$ ☐

32 $4+9+1=$ ☐

33 $8+2+5=$ ☐

34 $1+9+6=$ ☐

35 $3+7+6=$ ☐

36 $7+5+5=$ ☐

4

덧셈과 뺄셈(3)

연산을 잘하면
실생활에서도 유용하게
쓸 수 있어!

학습 결과와 시간을 써 보세요!

학습 내용	학습 회차	맞힌 개수/걸린 시간
1. 10을 이용하여 모으기와 가르기	DAY 01	/
	DAY 02	/
2. 받아올림이 있는 (몇)+(몇)	DAY 03	/
	DAY 04	/
	DAY 05	/
	DAY 06	/
	DAY 07	/
3. 받아내림이 있는 (십몇)−(몇)	DAY 08	/
	DAY 09	/
	DAY 10	/
	DAY 11	/
	DAY 12	/
마무리 연산	DAY 13	/
	DAY 14	/

기초력 상승!

하나 둘! 하나 둘!

◎ 4단계 덧셈과 뺄셈(3)

1. 10을 이용하여 모으기와 가르기

예 10을 이용하여 모으기와 가르기

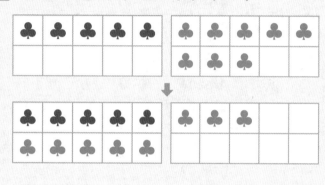

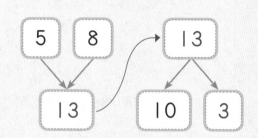

🐙 10을 이용하여 모으기와 가르기를 하세요.

1
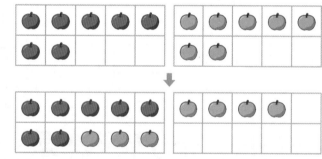

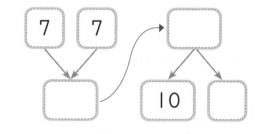

2
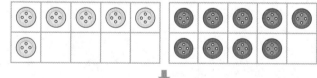
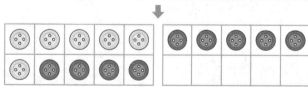

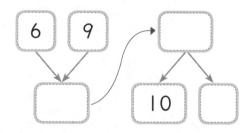

3
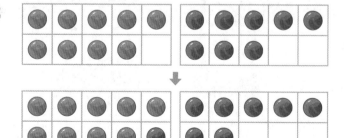

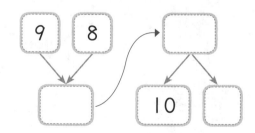

🐙 10을 이용하여 모으기와 가르기를 하세요.

4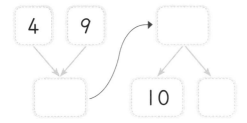

5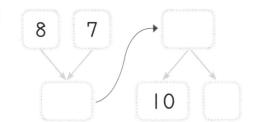

6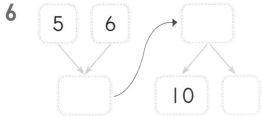

7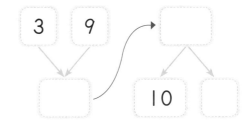

8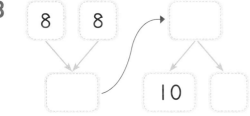

9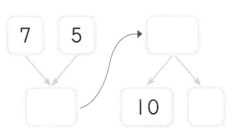

10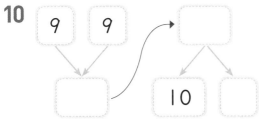

11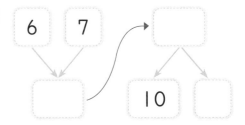

12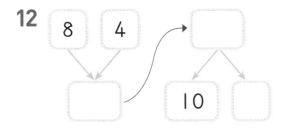

13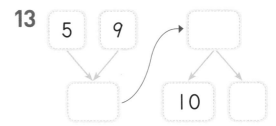

1. 10을 이용하여 모으기와 가르기

🐙 ○를 알맞게 그려 넣고 빈 곳에 알맞은 수를 써넣으세요.

1

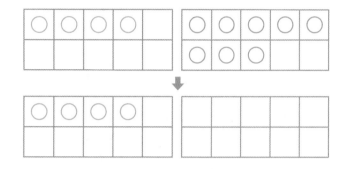

2

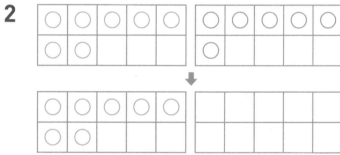

3

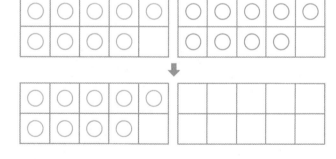

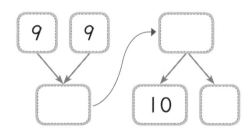

4

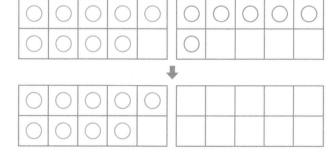

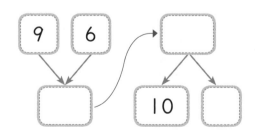

🐙 친구들이 여러 가지 사탕을 가지고 있습니다. 친구 2명이 가지고 있는 사탕을 10개씩 묶고 빈 곳에 알맞은 수를 써넣으세요.

 🍬 5개   🍬 6개   🍬 7개   🍬 8개   🍬 9개

5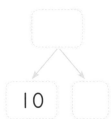

6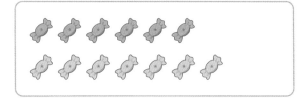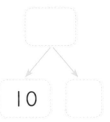

7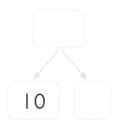

8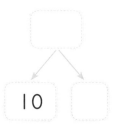

💡 **생활 속 연산**

수지는 하트 모양 쿠키 7개와 별 모양 쿠키 5개를 만들었습니다. 만든 쿠키를 한 상자에 10개 담아 포장한다면 남는 쿠키는 몇 개인지 구하세요.

(   )개

🎯 4단계 덧셈과 뺄셈(3)

2. 받아올림이 있는 (몇)+(몇)

예 5+9의 계산

5가 10이 되려면 5가 필요해.

5+9 ← 9를 5와 4로 가르기 하자.

5+5+4

10+4=14

🐙 ☐ 안에 알맞은 수를 써넣으세요.

1 7+6

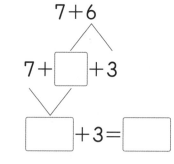

$7+\boxed{}+3$

$\boxed{}+3=\boxed{}$

2 6+9

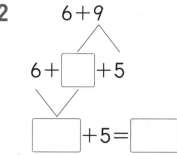

$6+\boxed{}+5$

$\boxed{}+5=\boxed{}$

3 9+9

$9+\boxed{}+\boxed{}$

$\boxed{}+\boxed{}=\boxed{}$

4 8+4

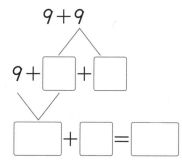

$8+\boxed{}+\boxed{}$

$\boxed{}+\boxed{}=\boxed{}$

5 5+6

$5+\boxed{}+\boxed{}$

$\boxed{}+\boxed{}=\boxed{}$

6 9+8

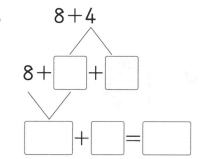

$9+\boxed{}+\boxed{}$

$\boxed{}+\boxed{}=\boxed{}$

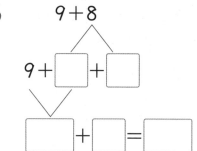

🐙 계산을 하세요.

7

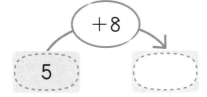

8

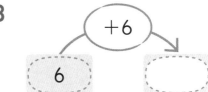

9

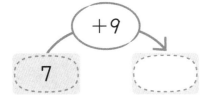

10

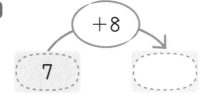

11

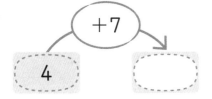

12

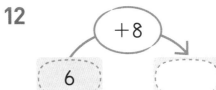

13

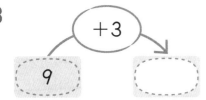

14

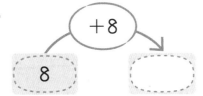

15

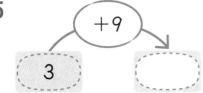

16

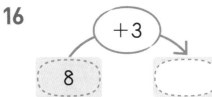

◎ 4단계 덧셈과 뺄셈(3)

2. 받아올림이 있는 (몇)+(몇)

🐙 ☐ 안에 알맞은 수를 써넣으세요.

1 $9+5=10+\boxed{}=\boxed{}$

$\boxed{}$ 4

2 $4+8=10+\boxed{}=\boxed{}$

6 $\boxed{}$

3 $6+7=10+\boxed{}=\boxed{}$

$\boxed{}$ 3

4 $9+7=10+\boxed{}=\boxed{}$

1 $\boxed{}$

5 $8+6=10+\boxed{}=\boxed{}$

$\boxed{}$ 4

6 $5+6=10+\boxed{}=\boxed{}$

5 $\boxed{}$

7 $9+9=10+\boxed{}=\boxed{}$

$\boxed{}$ 8

8 $6+9=10+\boxed{}=\boxed{}$

4 $\boxed{}$

9 $7+5=10+\boxed{}=\boxed{}$

$\boxed{}$ 2

10 $8+9=10+\boxed{}=\boxed{}$

2 $\boxed{}$

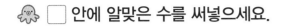 ☐ 안에 알맞은 수를 써넣으세요.

11   8
+8
☐

12   7
+6
☐

13   4
+9
☐

14   7
+7
☐

15   8
+7
☐

16   6
+6
☐

17   7
+4
☐

18   9
+8
☐

◎ **4단계** 덧셈과 뺄셈(3)

2. 받아올림이 있는 (몇)+(몇)

예 5+9의 계산

→5+9←── 9가 10이 되려면 1이 필요해.

5를 4와 1로 가르기
하자.

4+1+9

4+10=14

🐙 ☐ 안에 알맞은 수를 써넣으세요.

1   3+9

2+☐+9

2+☐=☐

2   4+7

1+☐+7

1+☐=☐

3   8+5

3+☐+5

3+☐=☐

4   9+7

6+☐+7

6+☐=☐

5   6+8

4+☐+8

4+☐=☐

6   7+7

4+☐+7

4+☐=☐

🐙 계산을 하세요.

7
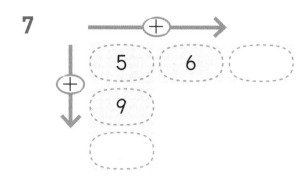

8
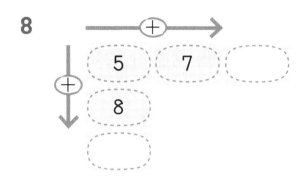

9
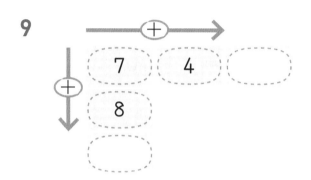

10
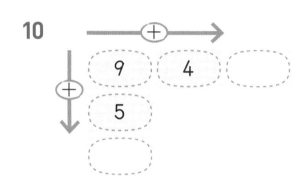

11
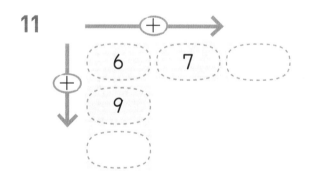

12
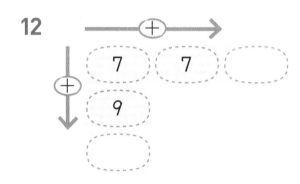

13
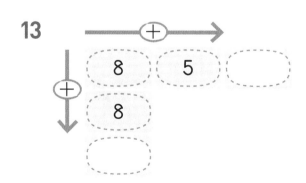

14
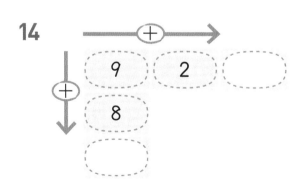

◎ 4단계 덧셈과 뺄셈(3)

2. 받아올림이 있는 (몇)+(몇)

🐙 ☐ 안에 알맞은 수를 써넣으세요.

1 $8+9=$ ☐ $+10=$ ☐
☐   1

2 $8+4=$ ☐ $+10=$ ☐
2   ☐

3 $6+8=$ ☐ $+10=$ ☐
☐   2

4 $7+7=$ ☐ $+10=$ ☐
4   ☐

5 $4+9=$ ☐ $+10=$ ☐
☐   1

6 $7+5=$ ☐ $+10=$ ☐
2   ☐

7 $8+8=$ ☐ $+10=$ ☐
☐   2

8 $4+7=$ ☐ $+10=$ ☐
1   ☐

9 $9+2=$ ☐ $+10=$ ☐
☐   8

10 $8+7=$ ☐ $+10=$ ☐
5   ☐

🐙 두 수의 합을 빈 곳에 써넣으세요.

11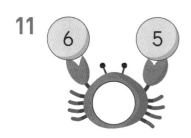

12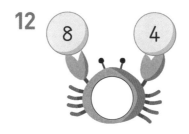

13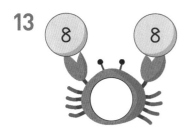

14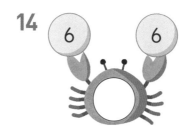

15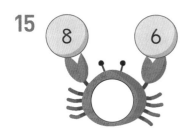

16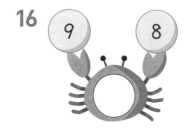

17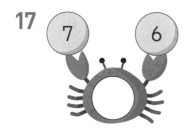

18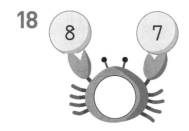

19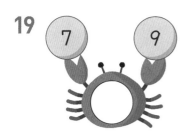

20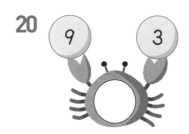

◎ 4단계 덧셈과 뺄셈(3)

2. 받아올림이 있는 (몇)+(몇)

🐙 계산을 하세요.

1 4+8=□

2 8+6=□

3 5+7=□

4 9+7=□

5 6+5=□

6 7+8=□

7 8+3=□

8 9+6=□

9 4+9=□

10 6+7=□

11 8+8=□

12 7+5=□

13 8+9=□

14 7+4=□

15 5+8=□

16 3+9=□

17 9+5=□

18 7+7=□

🐙 합이 주어진 수가 되는 덧셈식을 찾아 ○표 하세요.

19
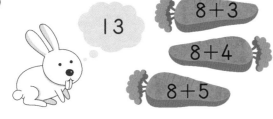

20

21
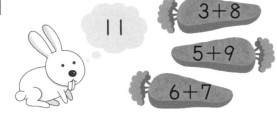

22
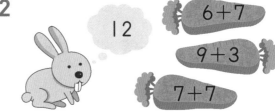

23

24

💡 생활 속 연산

체육 시간에 우석이와 상미는 윗몸일으키기 기록을 쟀습니다. 상미는 윗몸일으키기를 9번 하였고, 우석이는 상미보다 8번 더 많이 하였습니다. 우석이는 윗몸일으키기를 몇 번 했는지 구하세요.

(   )번

◎4단계 덧셈과 뺄셈(3)

3. 받아내림이 있는 (십몇)−(몇)

예 13−8의 계산

13−8 ← 8을 3과 5로 가르기 해.

10이 되도록
13에서 3을 13−3−5
먼저 빼.

10−5=5

🐙 ☐ 안에 알맞은 수를 써넣으세요.

1 15−7

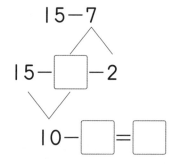

15−☐−2

10−☐=☐

2 15−9

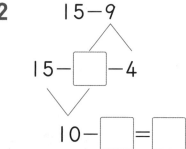

15−☐−4

10−☐=☐

3 12−5

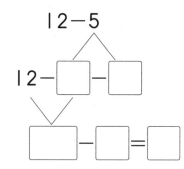

12−☐−☐

☐−☐=☐

4 16−8

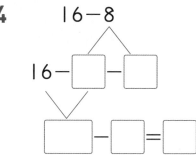

16−☐−☐

☐−☐=☐

5 11−9

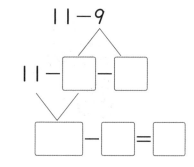

11−☐−☐

☐−☐=☐

6 13−4

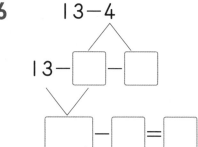

13−☐−☐

☐−☐=☐

🐙 계산을 하세요.

7
11 → −5 → ☐

8
15 → −6 → ☐

9
12 → −7 → ☐

10
16 → −9 → ☐

11
13 → −5 → ☐

12
14 → −8 → ☐

13
17 → −8 → ☐

14
12 → −9 → ☐

15
11 → −3 → ☐

16
13 → −9 → ☐

3. 받아내림이 있는 (십몇)−(몇)

🐙 ☐ 안에 알맞은 수를 써넣으세요.

1 $11-8=10-\boxed{}=\boxed{}$

$\boxed{}$ 7

2 $13-6=\boxed{}-3=\boxed{}$

3   $\boxed{}$

3 $15-8=10-\boxed{}=\boxed{}$

$\boxed{}$ 3

4 $12-4=\boxed{}-2=\boxed{}$

2   $\boxed{}$

5 $16-7=10-\boxed{}=\boxed{}$

$\boxed{}$ 1

6 $14-9=\boxed{}-5=\boxed{}$

4   $\boxed{}$

7 $12-6=10-\boxed{}=\boxed{}$

$\boxed{}$ 4

8 $11-5=\boxed{}-4=\boxed{}$

1   $\boxed{}$

9 $14-5=10-\boxed{}=\boxed{}$

$\boxed{}$ 1

10 $15-6=\boxed{}-1=\boxed{}$

5   $\boxed{}$

🐙 두 수의 차를 빈 곳에 쓰세요.

11

12

13

14

15

16

17

18

19

20

4단계 덧셈과 뺄셈(3)

3. 받아내림이 있는 (십몇)−(몇)

예 **13−8의 계산**

13을 10과 3으로
가르기 해.

13−8

10−8+3 ← 10에서 8을 먼저 뺀 뒤
3을 반드시 더해.

2+3=5

□ 안에 알맞은 수를 써넣으세요.

1   12−7

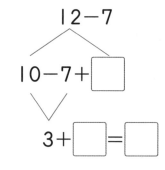

2   16−9

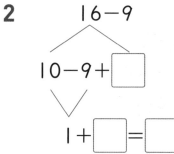

3   13−6

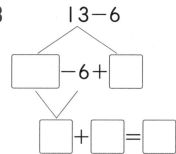

4   16−7

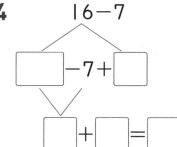

5   14−9

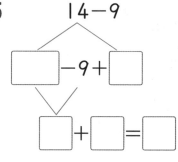

6   11−3

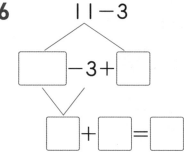

🐙 계산을 하세요.

7
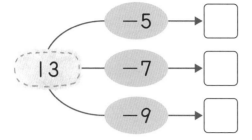

8
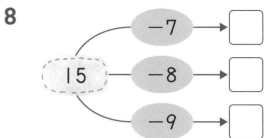

9
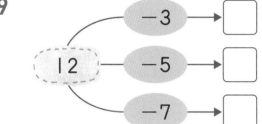

10
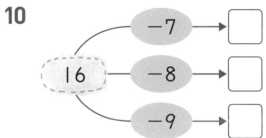

11
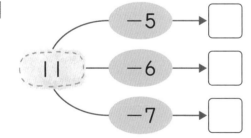

12
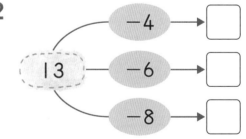

13
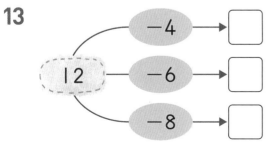

14
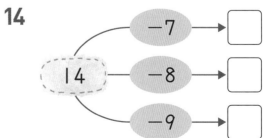

◎ 4단계 덧셈과 뺄셈(3)

3. 받아내림이 있는 (십몇)−(몇)

🐙 ☐ 안에 알맞은 수를 써넣으세요.

1 $17-9=$ ☐

10 ☐

2 $12-9=$ ☐

☐ 2

3 $11-5=$ ☐

10 ☐

4 $16-8=$ ☐

☐ 6

5 $15-6=$ ☐

10 ☐

6 $14-5=$ ☐

☐ 4

7 $13-9=$ ☐

10 ☐

8 $11-7=$ ☐

☐ 1

9 $12-6=$ ☐

10 ☐

10 $15-8=$ ☐

☐ 5

두 케이크에 꽂힌 숫자 초의 차를 구하세요.

11
(   )

12
(   )

13
(   )

14
(   )

15
(   )

16
(   )

17
(   )

18
(   )

19
(   )

20
(   )

◎ 4단계 덧셈과 뺄셈(3)

3. 받아내림이 있는 (십몇)−(몇)

🐙 계산을 하세요.

1 13−9=☐

2 11−2=☐

3 15−8=☐

4 12−5=☐

5 17−8=☐

6 11−5=☐

7 16−8=☐

8 13−7=☐

9 12−8=☐

10 14−6=☐

11 11−4=☐

12 15−9=☐

13 12−3=☐

14 14−9=☐

15 13−4=☐

16 11−6=☐

17 14−8=☐

18 12−6=☐

🐙 차가 주어진 수와 같은 뺄셈식을 찾아 ○표 하세요.

19　8
13−5　　15−9　　11−8

20　3
14−7　　11−8　　17−9

21　7
12−7　　17−8　　16−9

22　5
13−8　　11−7　　15−8

23　2
14−8　　11−9　　12−9

24　9
15−6　　17−9　　13−6

25　8
16−7　　14−9　　12−4

26　5
11−4　　15−7　　14−9

💡 **생활 속 연산**

연필 한 타는 12자루입니다. 민선이는 연필 한 타를 사서 7자루를 친구에게 주었습니다. 남은 연필은 몇 자루인지 구하세요.

(　　　　　　　　)자루

마무리 연산

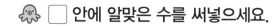

🐙 ☐ 안에 알맞은 수를 써넣으세요.

1 7+4=☐
☐ 1

2 5+9=☐
5 ☐

3 8+7=☐
2 ☐

4 9+2=☐
☐ 1

5 6+7=☐
4 ☐

6 7+9=☐
3 ☐

7 4+8=☐
☐ 2

8 5+6=☐
5 ☐

9 9+5=☐
1 ☐

10 8+3=☐
☐ 7

11 5+7=☐
2 ☐

12 3+9=☐
☐ 1

13 6+6=☐
☐ 4

14 8+9=☐
7 ☐

15 9+4=☐
☐ 6

16 4+7=☐
☐ 3

17 7+8=☐
5 ☐

18 5+8=☐
☐ 2

🐙 계산해 보세요.

19 4+9=◻

20 9+7=◻

21 8+8=◻

22 7+6=◻

23 2+9=◻

24 9+9=◻

25 9+6=◻

26 3+8=◻

27 9+3=◻

28 5+7=◻

29 6+8=◻

30 8+7=◻

31 4+7=◻

32 7+5=◻

33 9+8=◻

34 8+5=◻

35 5+9=◻

36 4+8=◻

🎯 4단계 덧셈과 뺄셈(3)

마무리 연산

🐙 ☐ 안에 알맞은 수를 써넣으세요.

1 $12-4=$ ☐
☐ 2

2 $16-7=$ ☐
6 ☐

3 $13-5=$ ☐
3 ☐

4 $14-9=$ ☐
☐ 5

5 $15-6=$ ☐
5 ☐

6 $11-7=$ ☐
1 ☐

7 $17-9=$ ☐
☐ 2

8 $13-7=$ ☐
3 ☐

9 $12-9=$ ☐
2 ☐

10 $14-8=$ ☐
10 ☐

11 $11-2=$ ☐
10 ☐

12 $15-9=$ ☐
10 ☐

13 $13-4=$ ☐
☐ 3

14 $14-6=$ ☐
☐ 4

15 $12-8=$ ☐
☐ 2

16 $16-8=$ ☐
☐ 6

17 $11-3=$ ☐
☐ 1

18 $13-6=$ ☐
☐ 3

🐙 계산해 보세요.

19 11−5= ☐

20 15−9= ☐

21 13−8= ☐

22 12−7= ☐

23 16−9= ☐

24 14−7= ☐

25 11−8= ☐

26 17−8= ☐

27 15−7= ☐

28 11−4= ☐

29 13−9= ☐

30 15−8= ☐

31 12−3= ☐

32 14−5= ☐

33 12−9= ☐

34 11−6= ☐

35 12−5= ☐

36 16−7= ☐

힘수 연산으로 수학 기초 체력 UP!

힘이 붙는 **수학** 연산

정답

초등 1B

금성출판사

차례

정답

초등 1B

하나 둘! 하나 둘!

🎯 1단계 100까지의 수

DAY 01 8~9쪽

1. 몇십

1	70	**2**	90
3	60	**4**	80
5	90	**6**	60
7	70	**8**	8
9	90	**10**	5
11	60	**12**	7
13	50	**14**	6
15	80	**16**	9

DAY 02 10~11쪽

1. 몇십

1	8, 80	**2**	6, 60
3	7, 70	**4**	9, 90
5	8, 80	**6**	7, 70
7	60 / 육십, 예순	**8**	70 / 칠십, 일흔
9	80 / 팔십, 여든	**10**	90 / 구십, 아흔
11	70 / 칠십, 일흔	**12**	60 / 육십, 예순

DAY 03 12~13쪽

2. 99까지의 수

1	99	**2**	74
3	68	**4**	83
5	91	**6**	76
7	64	**8**	9, 1
9	72	**10**	8, 8
11	93	**12**	6, 9
13	65	**14**	7, 6
15	86	**16**	8, 9

DAY 04 14~15쪽

2. 99까지의 수

1	7, 5 / 75	**2**	6, 2 / 62
3	8, 9 / 89	**4**	9, 3 / 93
5	6, 4 / 64	**6**	7, 1 / 71

7 84 / 팔십사, 여든넷

8 63 / 육십삼, 예순셋

9 79 / 칠십구, 일흔아홉

10 95 / 구십오, 아흔다섯

11 88 / 팔십팔, 여든여덟

12 72 / 칠십이, 일흔둘

13 91 / 구십일, 아흔하나

14 67 / 육십칠, 예순일곱

DAY 05   16~17쪽

3. 100까지의 수의 순서

1 53, 56		**2** 61, 64	
3 69, 73		**4** 70, 73, 75	
5 83, 86, 88			
6 53, 55		**7** 58, 60	
8 61, 63		**9** 69, 71	
10 75, 77		**11** 78, 80	
12 81, 83		**13** 86, 88	
14 89, 91		**15** 92, 94	
16 96, 98		**17** 98, 100	

DAY 06   18~19쪽

3. 100까지의 수의 순서

1 65	**2** 90	
3 58, 60	**4** 81, 83	
5 75, 78	**6** 93, 96	
7 89, 91	**8** 67, 69	
9 71, 73	**10** 98, 100	
11 75, 78	**12** 89, 91, 93	
13 53, 56, 57	**14** 70, 71, 74	
15 79, 83, 84	**16** 91, 94, 95	
17 96, 99, 100		

DAY 07   20~21쪽

3. 100까지의 수의 순서

1 54, 57, 65, 70, 72

2 80, 83, 86, 92, 94, 99

3 74, 75, 82, 86, 88, 90

4 74, 78, 82, 86, 87, 95

5 56, 58, 64, 65, 71, 72, 77

6 61, 65, 69, 73, 78, 82, 84

7 85, 86, 87, 88   **8** 63, 64, 65, 66

9 92, 93, 94, 95   **10** 71, 72, 73, 74

11 97, 98, 99, 100   **12** 88, 89, 90, 91

생활 속 연산

DAY 08   22~23쪽

4. 수의 크기 비교하기

1 <	**2** <	**3** >
4 <	**5** <	**6** <
7 >	**8** >	**9** <
10 >	**11** <	**12** >
13 <	**14** <	**15** >
16 46	**17** 85	**18** 53
19 58	**20** 76	**21** 88
22 94	**23** 42	**24** 41
25 66		

4. 수의 크기 비교하기

1 <		**2** <		**3** >	
4 <		**5** >		**6** <	
7 <		**8** >		**9** <	
10 <		**11** <		**12** >	
13 >		**14** <		**15** >	
16 26		**17** 32		**18** 90	
19 61		**20** 11		**21** 54	
22 70		**23** 42		**24** 64	
25 96		**26** 14		**27** 35	
28 74		**29** 20		**30** 45	

마무리 연산

1 57, 60	**2** 84, 86	**3** 73, 75
4 69, 71	**5** 90, 94	**6** 85, 87
7 61, 62		
8 <	**9** >	**10** <
11 <	**12** >	**13** >
14 <	**15** >	**16** >
17 <	**18** >	**19** <
20 >	**21** >	**22** <
23 <	**24** >	**25** <
26 >	**27** <	**28** >

마무리 연산

1 80	**2** 6	**3** 90
4 7	**5** 60	**6** 8
7 93	**8** 7, 6	**9** 72
10 8, 1	**11** 67	**12** 9, 5

13 90 / 구십, 아흔   **14** 60 / 육십, 예순

15 70 / 칠십, 일흔   **16** 80 / 팔십, 여든

17 65 / 육십오, 예순다섯

18 92 / 구십이, 아흔둘

19 83 / 팔십삼, 여든셋

20 76 / 칠십육, 일흔여섯

🎯 2단계 덧셈과 뺄셈(1)

DAY 01

1. 받아올림이 없는 (몇십몇)+(몇)

1 19	2 27	3 29
4 38	5 37	6 44
7 58	8 69	9 29
10 77	11 85	12 95
13 37	14 19	15 89
16 77	17 58	18 47
19 29	20 68	21 94
22 23		

DAY 02

1. 받아올림이 없는 (몇십몇)+(몇)

1 27	2 56	3 19
4 38	5 67	6 29
7 44	8 55	9 76
10 39	11 99	12 28
13 47	14 84	15 98
16 16	17 49	18 28
19 57	20 83	21 77
22 39	23 85	24 27
25 64	26 48	27 56
28 95	29 18	30 89

DAY 03

1. 받아올림이 없는 (몇십몇)+(몇)

1 56	2 19	3 39
4 64	5 47	6 99
7 27	8 39	9 17
10 78	11 86	12 97
13 69	14 38	15 17
16 25	17 87	18 77
19 49	20 68	21 76
22 23	23 58	24 95
25 87	26 19	27 44
28 39		

DAY 04

1. 받아올림이 없는 (몇십몇)+(몇)

1 18	2 47	3 86
4 77	5 69	6 57
7 38	8 28	9 97
10 46	11 35	12 79
13 17	14 88	15 68
16 37	17 59	18 26
19 37	20 67	21 78
22 58	23 98	24 66
25 87	26 79	27 57
28 48		

2. 받아올림이 없는 (몇십)+(몇십)

1 60	2 40	3 20
4 90	5 70	6 60
7 80	8 70	9 80
10 50	11 90	12 50
13 80	14 50	15 90
16 70	17 60	18 90
19 30	20 90	21 60
22 70		

2. 받아올림이 없는 (몇십)+(몇십)

1 90	2 70	3 80
4 60	5 40	6 30
7 90	8 60	9 80
10 20	11 90	12 80
13 90	14 50	15 80
16 70	17 70	18 90
19 50	20 70	21 60
22 80	23 40	24 90
25 50	26 90	27 50
28 80		

2. 받아올림이 없는 (몇십)+(몇십)

1 50	2 70	3 80
4 60	5 50	6 70
7 90	8 80	9 90
10 60	11 70	12 20
13 90	14 30	15 40
16 80	17 40	18 90
19 70	20 60	21 80
22 30	23 50	24 70
25 60		

2. 받아올림이 없는 (몇십)+(몇십)

1 90	2 60	3 70
4 50	5 60	6 90
7 80	8 70	9 80
10 70	11 90	12 30
13 70	14 80	15 40
16 80	17 20	18 50

19 50+30에 ○표	20 10+40에 ○표
21 60+30에 ○표	22 20+20에 ○표
23 50+20에 ○표	24 30+30에 ○표
25 10+70에 ○표	26 50+40에 ○표

DAY 09 48~49쪽

3. 받아올림이 없는 (몇십몇)+(몇십몇)

1	95	2	69	3	77
4	38	5	62	6	88
7	49	8	64	9	85
10	78	11	28	12	76
13	39	14	76	15	87
16	98	17	73	18	74
19	97	20	89	21	66
22	56				

DAY 11 52~53쪽

3. 받아올림이 없는 (몇십몇)+(몇십몇)

1	26	2	54	3	39
4	86	5	59	6	67
7	88	8	59	9	97
10	46	11	65	12	58
13	84	14	76	15	93
16	35	17	78	18	64
19	48	20	84	21	96
22	58	23	69	24	75
25	36	26	45	27	72
28	99				

DAY 10 50~51쪽

3. 받아올림이 없는 (몇십몇)+(몇십몇)

1	58	2	77	3	49
4	66	5	27	6	65
7	88	8	57	9	89
10	86	11	36	12	72
13	89	14	75	15	79
16	58	17	45	18	72
19	88	20	57	21	84
22	79	23	96	24	38
25	75				

DAY 12 54~55쪽

3. 받아올림이 없는 (몇십몇)+(몇십몇)

1	68	2	87	3	97
4	35	5	49	6	73
7	56	8	47	9	82
10	84	11	69	12	28
13	49	14	97	15	86
16	75	17	88	18	76
19	46	20	58	21	87
22	65	23	78	24	99
25	38	26	74		

생활 속 연산 58

DAY 13

4. 받아내림이 없는 (몇십몇)-(몇)

1 44	**2** 76	**3** 52
4 61	**5** 32	**6** 81
7 22	**8** 15	**9** 40
10 64	**11** 71	**12** 84
13 22	**14** 51	**15** 77
16 80	**17** 43	**18** 26
19 13	**20** 31	**21** 54
22 41		

DAY 14

4. 받아내림이 없는 (몇십몇)-(몇)

1 46	**2** 30	**3** 82
4 12	**5** 61	**6** 74
7 52	**8** 95	**9** 22
10 61	**11** 73	**12** 32
13 81	**14** 46	**15** 54
16 15	**17** 51	**18** 73
19 45	**20** 82	**21** 27
22 31	**23** 62	

DAY 15

4. 받아내림이 없는 (몇십몇)-(몇)

1 23	**2** 56	**3** 84
4 71	**5** 45	**6** 91
7 52	**8** 12	**9** 34
10 74	**11** 80	**12** 11
13 62	**14** 91	**15** 24
16 45	**17** 33	**18** 72
19 55	**20** 81	**21** 24
22 72	**23** 63	**24** 41
25 94	**26** 87	**27** 31
28 52		

DAY 16

4. 받아내림이 없는 (몇십몇)-(몇)

1 53	**2** 46	**3** 12
4 67	**5** 37	**6** 22
7 94	**8** 83	**9** 51
10 76	**11** 17	**12** 62
13 23	**14** 91	**15** 37
16 64	**17** 41	**18** 93
19 42	**20** 53	**21** 75
22 32	**23** 12	**24** 41
25 84	**26** 31	**27** 42
28 71		

DAY 17
64~65쪽

5. 받아내림이 없는 (몇십)-(몇십)

1	30	2	50	3	40
4	70	5	60	6	20
7	30	8	40	9	20
10	10	11	20	12	50
13	10	14	60	15	40
16	30	17	40	18	70
19	50	20	10	21	50
22	30				

DAY 18
66~67쪽

5. 받아내림이 없는 (몇십)-(몇십)

1	10	2	30	3	40
4	20	5	70	6	60
7	10	8	70	9	20
10	20	11	30	12	50
13	40	14	10	15	60
16	10	17	30	18	20
19	10	20	30	21	40
22	20	23	10	24	30
25	50				

DAY 19
68~69쪽

5. 받아내림이 없는 (몇십)-(몇십)

1	10	2	60	3	20
4	50	5	20	6	70
7	10	8	30	9	60
10	50	11	10	12	30
13	10	14	30	15	40
16	20	17	30	18	20
19	20	20	80	21	40
22	50	23	60	24	40
25	30	26	10	27	40
28	50				

DAY 20
70~71쪽

5. 받아내림이 없는 (몇십)-(몇십)

1	10	2	60	3	50
4	30	5	10	6	70
7	20	8	10	9	70
10	30	11	40	12	20
13	10	14	20	15	60
16	30	17	80	18	40

19

90-40
70-10
80-10
60

20

50-30
80-40
30-20
20

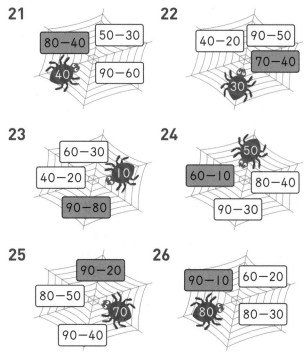

21
80−40
50−30
90−60
40

22
40−20
90−50
70−40
30

23
60−30
40−20
90−80
10

24
50
60−10
80−40
90−30

25
90−20
80−50
90−40
70

26
90−10
60−20
80
80−30

6. 받아내림이 없는 (몇십몇)−(몇십몇)

1	11	**2**	46	**3**	40
4	25	**5**	31	**6**	62
7	5	**8**	31	**9**	23
10	54	**11**	15	**12**	32
13	56	**14**	21	**15**	16
16	12	**17**	25	**18**	32
19	74	**20**	2	**21**	17
22	51	**23**	12	**24**	21
25	44				

6. 받아내림이 없는 (몇십몇)−(몇십몇)

1	21	**2**	12	**3**	13
4	52	**5**	13	**6**	44
7	21	**8**	76	**9**	23
10	25	**11**	72	**12**	11
13	22	**14**	37	**15**	10
16	31	**17**	64	**18**	33
19	13	**20**	61	**21**	41
22	45	**23**	36	**24**	57
25	24	**26**	52	**27**	31
28	20				

6. 받아내림이 없는 (몇십몇)−(몇십몇)

1	11	**2**	63	**3**	45
4	31	**5**	52	**6**	26
7	62	**8**	43	**9**	12
10	24	**11**	82	**12**	27
13	24	**14**	70	**15**	35
16	31	**17**	63	**18**	14
19	56	**20**	36	**21**	12
22	28				

DAY 24

78~79쪽

6. 받아내림이 없는 (몇십몇)-(몇십몇)

1	5 l	2	l 2	3	l 5
4	65	5	32	6	74
7	4 l	8	27	9	l l
10	63	11	44	12	l 7
13	23	14	4 l	15	64
16	25	17	4 l	18	23

19
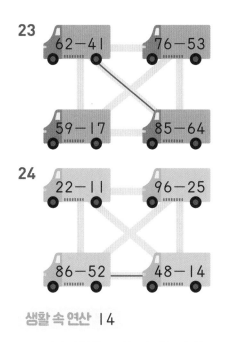

20

21

22

23

24

생활 속 연산 l 4

DAY 25

80~81쪽

마무리 연산

1	27	2	48	3	89
4	54	5	94	6	78
7	80	8	50	9	60
10	58	11	99	12	85
13	96	14	54	15	97
16	l 9	17	58	18	64
19	36	20	23	21	45
22	90	23	60	24	70
25	80	26	50	27	40
28	69	29	95	30	88
31	63	32	74	33	82

마무리 연산

1 51	**2** 43	**3** 17
4 62	**5** 75	**6** 82
7 40	**8** 70	**9** 10
10 22	**11** 31	**12** 18
13 31	**14** 32	**15** 72
16 92	**17** 73	**18** 34
19 52	**20** 48	**21** 26
22 60	**23** 40	**24** 30
25 50	**26** 10	**27** 20
28 62	**29** 34	**30** 23
31 31	**32** 15	**33** 46

◎3단계 덧셈과 뺄셈(2)

1. 받아올림이 없는 세 수의 덧셈

1 (위에서부터) 7 / 6, 6, 7

2 (위에서부터) 8 / 3, 3, 8

3 (위에서부터) 5 / 2, 2, 5

4 (위에서부터) 7 / 4, 4, 7

5 (위에서부터) 9 / 7, 7, 9

6 (위에서부터) 5 / 3, 3, 5

7 5, 9		**8** 6, 8
9 5, 7		**10** 6, 8
11 6, 7		**12** 2, 5
13 5, 6		**14** 8, 9

1. 받아올림이 없는 세 수의 덧셈

1 (계산 순서대로) 7, 8, 8

2 (계산 순서대로) 2, 7, 7

3 (계산 순서대로) 5, 9, 9

4 (계산 순서대로) 8, 9, 9

5 (계산 순서대로) 6, 8, 8

6 (계산 순서대로) 6, 8, 8

7 (계산 순서대로) 2, 5, 5

8 (계산 순서대로) 5, 9, 9

9 (계산 순서대로) 3, 4, 4

10 (계산 순서대로) 5, 9, 9

11 (계산 순서대로) 4, 7, 7

12 (계산 순서대로) 8, 9, 9

13	8		14	9
15	7		16	7
17	6		18	8
19	6		20	9
21	7		22	8

DAY 03

1. 받아올림이 없는 세 수의 덧셈

1	9	2	8	3	7
4	9	5	8	6	5
7	8	8	7	9	8
10	9	11	4	12	9
13	8	14	6	15	6
16	8	17	7	18	9
19	9		20	7
21	9		22	6
23	8		24	4
25	9		26	6
27	8		28	7

DAY 04

1. 받아올림이 없는 세 수의 덧셈

1	9	2	8	3	6
4	9	5	5	6	5
7	6	8	9	9	4
10	7	11	7	12	8
13	9	14	9	15	8
16	6	17	9	18	5
19	9		20	7
21	9		22	8
23	6		24	5
25	8		26	6

생활 속 연산 9

DAY 05

2. 받아내림이 없는 세 수의 뺄셈

1 (위에서부터) 1 / 5, 5, 1
2 (위에서부터) 1 / 2, 2, 1
3 (위에서부터) 5 / 7, 7, 5
4 (위에서부터) 1 / 4, 4, 1
5 (위에서부터) 3 / 5, 5, 3
6 (위에서부터) 4 / 6, 6, 4

7	5, 1	8	8, 6
9	4, 3	10	7, 1
11	7, 4	12	3, 2
13	4, 1	14	5, 4
15	3, 1	16	7, 5

2. 받아내림이 없는 세 수의 뺄셈

1 (계산 순서대로) 2, 1, 1

2 (계산 순서대로) 5, 3, 3

3 (계산 순서대로) 5, 2, 2

4 (계산 순서대로) 5, 1, 1

5 (계산 순서대로) 6, 5, 5

6 (계산 순서대로) 3, 1, 1

7 (계산 순서대로) 8, 5, 5

8 (계산 순서대로) 2, 1, 1

9 (계산 순서대로) 7, 5, 5

10 (계산 순서대로) 4, 2, 2

11 (계산 순서대로) 2, 1, 1

12 (계산 순서대로) 7, 6, 6

13	3	14	4
15	3	16	2
17	4	18	3
19	3	20	2
21	2	22	1

2. 받아내림이 없는 세 수의 뺄셈

1	1	2	4	3	5
4	2	5	5	6	2
7	3	8	5	9	1
10	1	11	2	12	3
13	2	14	4	15	3
16	1	17	2	18	2
19	4	20	3	21	2
22	3	23	2	24	1
25	4	26	3	27	2
28	5				

2. 받아내림이 없는 세 수의 뺄셈

1	1	2	1	3	4
4	1	5	3	6	3
7	2	8	3	9	4
10	3	11	2	12	2
13	1	14	2	15	1
16	1	17	4	18	2
19	2	20	3	21	3
22	6	23	2	24	1
25	4	26	2		

생활 속 연산 3

DAY 09

3. 두 수를 더하기

1 11, 12, 12

2 11, 12, 13, 13

3 10, 11, 12, 13, 13

4 11 5 13

6 15 7 13

8 8, 16 9 9, 16

10 7, 12 11 6, 14

12 9, 18 13 8, 15

DAY 10

3. 두 수를 더하기

1 11, 11	2 12, 12	3 12, 12
4 15, 15	5 11, 11	6 14, 14
7 14	8 11	9 12
10 11	11 15	12 18
13 15	14 11	15 16
16 11	17 12	18 16
19 14	20 13	21 13

DAY 11

3. 두 수를 더하기

1 11	2 12	3 15
4 14	5 15	6 13
7 14	8 17	9 12
10 12	11 13	12 13
13 16	14 13	15 18
16 12	17 11	18 16

19 20 21

22 23 24

생활 속 연산 11

DAY 12

4. 10이 되는 더하기

1 7 2 1

3 5 4 6

5 2 6 3

7 3+7에 ○표 8 1+9에 ○표

9 5+5에 ○표 10 6+4에 ○표

11 2+8에 ○표 12 7+3에 ○표

13 4+6에 ○표 14 8+2에 ○표

15 9+1에 ○표 16 5+5에 ○표

4. 10이 되는 더하기

1 ○○○○○ / ○○○○○ . 8

2 ○○○○○ / ○○○○○ . 3

3 ○○○○○ / ○○○○○ . 4

4 ○○○○○ / ○○○○○ . 9

5 ○○○○○ / ○○○○○ . 5

6 ○○○○○ / ○○○○○ . 2

7 ○○○○○ / ○○○○○ . 9

8 ○○○○○ / ○○○○○ . 6

9 ○○○○○ / ○○○○○ . 3

10 ○○○○○ / ○○○○○ . 8

11 3에 색칠   **12** 5에 색칠

13 7에 색칠   **14** 4에 색칠

15 6에 색칠   **16** 9에 색칠

17 1에 색칠   **18** 5에 색칠

19 8에 색칠   **20** 2에 색칠

4. 10이 되는 더하기

1 7   **2** 6   **3** 1

4 5   **5** 8   **6** 4

7 1   **8** 2   **9** 3

10 8   **11** 7   **12** 6

13 9   **14** 4   **15** 7

16 2   **17** 5   **18** 8

19
/ 예 4, 6

20
/ 예 9, 1

21
/ 예 2, 8

22
/ 예 6, 4

23
/ 예 7, 3

24
/ 예 8, 2

25
/ 5, 5

26
/ 예 1, 9

27
/ 예 3, 7

DAY 15 114~115쪽

5. 10에서 빼기

1 4		**2** 5	
3			**4** 4	
5 8		**6** 9	
7 |,			**8** 8, 8	
9 6, 6		**10** 9, 9	
11 3, 3		**12** 2, 2	
13 5, 5		**14** 3, 3	
15 8, 8		**16** 6, 6	

7 (예) , 2

8 (예) , 9

9 (예) , 3

10 (예) , 6

11 8	**12** 5	**13** 3
14 4	**15** 7	**16** 9
17 5	**18** 2	**19** 9
20 3	**21** 6	**22**	

DAY 16 116~117쪽

5. 10에서 빼기

1 (예) , 7

2 (예) , 2

3 (예) , 4

4 (예) , 5

5 (예) , 9

6 (예) , 4

DAY 17 118~119쪽

5. 10에서 빼기

1		**2** 7	**3** 8
4 7	**5** 4	**6** 5
7 2	**8**		**9** 3
10 4	**11** 5	**12** 2
13 9	**14** 3	**15** 6
16 6	**17** 9	**18** 8

19 5, 보 / 3, 물 **20** |, 양 / 5, 보

21 6, 자 / 2, 전 / 8, 거 **22** 3, 물 / 9, 고 / 4, 기

23 5, 보 / 6, 자 / 4, 기 **24** 9, 고 / |, 양 / 7, 이

생활 속 연산 7

6. 10을 만들어 더하기

1 (계산 순서대로) 10, 13, 13

2 (계산 순서대로) 10, 18, 18

3 (계산 순서대로) 10, 16, 16

4 (계산 순서대로) 10, 19, 19

5 (계산 순서대로) 10, 14, 14

6 (계산 순서대로) 10, 18, 18

7 (계산 순서대로) 10, 11, 11

8 (계산 순서대로) 10, 15, 15

9 (계산 순서대로) 10, 16, 16

10 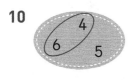 / 15

11 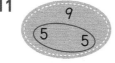 / 19

12 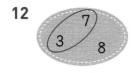 / 18

13 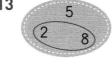 / 15

14 / 14

15 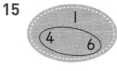 / 11

16 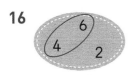 / 12

17 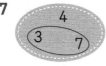 / 14

18 / 16

19 / 13

6. 10을 만들어 더하기

1 9+1에 ○표, 14   **2** 2+8에 ○표, 17

3 7+3에 ○표, 14   **4** 5+5에 ○표, 17

5 1+9에 ○표, 16   **6** 4+6에 ○표, 12

7 8+2에 ○표, 16   **8** 4+6에 ○표, 11

9 8+2에 ○표, 19   **10** 6+4에 ○표, 17

11 1+9에 ○표, 15   **12** 3+7에 ○표, 18

13 2+8에 ○표, 14   **14** 3+7에 ○표, 16

15 5+5에 ○표, 12   **16** 6+4에 ○표, 15

17 9+1에 ○표, 13   **18** 7+3에 ○표, 12

19 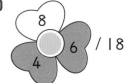 / 13   **20**  / 18

21  / 14   **22**  / 17

23 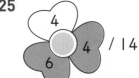 / 11   **24**  / 16

25  / 14   **26** 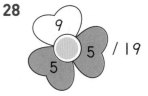 / 18

27 / 15   **28** / 19

DAY 20

6. 10을 만들어 더하기

1 13	**2** 15	**3** 11
4 14	**5** 15	**6** 18
7 19	**8** 12	**9** 14
10 16	**11** 13	**12** 19
13 14	**14** 12	**15** 18
16 17	**17** 14	**18** 16
19 13	**20** 12	**21** 17
22 15	**23** 16	**24** 19

생활 속 연산 18

DAY 21

마무리 연산

1 8	**2** 9	**3** 5
4 7	**5** 7	**6** 6
7 8	**8** 9	**9** 8
10 3	**11** 1	**12** 1
13 4	**14** 4	**15** 1
16 2	**17** 1	**18** 3
19 12	**20** 13	**21** 15
22 13	**23** 14	**24** 12
25 14	**26** 12	**27** 17
28 13	**29** 11	**30** 15
31 11	**32** 13	**33** 14
34 16	**35** 13	**36** 11

DAY 22

마무리 연산

1 5	**2** 8	**3** 3
4 4	**5** 9	**6** 6
7 7	**8** 2	**9** 1
10 5	**11** 7	**12** 9
13 2	**14** 9	**15** 4
16 3	**17** 3	**18** 8

19 6+4에 ○표, 15 **20** 7+3에 ○표, 11
21 8+2에 ○표, 17 **22** 1+9에 ○표, 15
23 2+8에 ○표, 14 **24** 4+6에 ○표, 18
25 7+3에 ○표, 12 **26** 3+7에 ○표, 15
27 9+1에 ○표, 17 **28** 6+4에 ○표, 19
29 5+5에 ○표, 19 **30** 2+8에 ○표, 13
31 4+6에 ○표, 11 **32** 9+1에 ○표, 14
33 8+2에 ○표, 15 **34** 1+9에 ○표, 16
35 3+7에 ○표, 16 **36** 5+5에 ○표, 17

DAY 01
132~133쪽

1. 10을 이용하여 모으기와 가르기

1 14 / 14, 4   **2** 15 / 15, 5

3 17 / 17, 7   **4** 13 / 13, 3

5 15 / 15, 5   **6** 11 / 11, 1

7 12 / 12, 2   **8** 16 / 16, 6

9 12 / 12, 2   **10** 18 / 18, 8

11 13 / 13, 3   **12** 12 / 12, 2

13 14 / 14, 4

DAY 02
134~135쪽

1. 10을 이용하여 모으기와 가르기

1
12 / 12, 2

2
13 / 13, 3

3
18 / 18, 8

4
15 / 15, 5

5 예
/ 11, 1

6 예
/ 13, 3

7 예
/ 15, 5

8 예
/ 17, 7

생활 속 연산 2

DAY 03
136~137쪽

2. 받아올림이 있는 (몇)+(몇)

1 3 / 10, 13   **2** 4 / 10, 15

3 1, 8 / 10, 8, 18   **4** 2, 2 / 10, 2, 12

5 5, 1 / 10, 1, 11   **6** 1, 7 / 10, 7, 17

7 13   **8** 12

9 16   **10** 15

11 11   **12** 14

13 12   **14** 16

15 12   **16** 11

DAY 04

2. 받아올림이 있는 (몇)+(몇)

1	1 / 4, 14	2	2 / 2, 12
3	4 / 3, 13	4	6 / 6, 16
5	2 / 4, 14	6	1 / 1, 11
7	1 / 8, 18	8	5 / 5, 15
9	3 / 2, 12	10	7 / 7, 17
11	16	12	13
13	13	14	14
15	15	16	12
17	11	18	17

DAY 05

2. 받아올림이 있는 (몇)+(몇)

1	1 / 10, 12	2	3 / 10, 11
3	5 / 10, 13	4	3 / 10, 16
5	2 / 10, 14	6	3 / 10, 14
7	11, 14	8	12, 13
9	11, 15	10	13, 14
11	13, 15	12	14, 16
13	13, 16	14	11, 17

DAY 06

2. 받아올림이 있는 (몇)+(몇)

1	7 / 7, 17	2	6 / 2, 12
3	4 / 4, 14	4	3 / 4, 14
5	3 / 3, 13	6	5 / 2, 12
7	6 / 6, 16	8	3 / 1, 11
9	1 / 1, 11	10	3 / 5, 15
11	11	12	12
13	16	14	12
15	14	16	17
17	13	18	15
19	16	20	12

DAY 07

2. 받아올림이 있는 (몇)+(몇)

1	12	2	14	3	12
4	16	5	11	6	15
7	11	8	15	9	13
10	13	11	16	12	12
13	17	14	11	15	13
16	12	17	14	18	14
19	8+5에 ○표	20	6+8에 ○표		
21	3+8에 ○표	22	9+3에 ○표		
23	7+9에 ○표	24	8+7에 ○표		

생활 속 연산 | 7

3. 받아내림이 있는 (십몇)-(몇)

1	5 / 2, 8	**2**	5 / 4, 6
3	2, 3 / 10, 3, 7	**4**	6, 2 / 10, 2, 8
5	1, 8 / 10, 8, 2	**6**	3, 1 / 10, 1, 9
7	6	**8**	9
9	5	**10**	7
11	8	**12**	6
13	9	**14**	3
15	8	**16**	4

3. 받아내림이 있는 (십몇)-(몇)

1	2 / 2, 5	**2**	6 / 6, 7
3	10, 3 / 4, 3, 7	**4**	10, 6 / 3, 6, 9
5	10, 4 / 1, 4, 5	**6**	10, 1 / 7, 1, 8
7	8, 6, 4	**8**	8, 7, 6
9	9, 7, 5	**10**	9, 8, 7
11	6, 5, 4	**12**	9, 7, 5
13	8, 6, 4	**14**	7, 6, 5

3. 받아내림이 있는 (십몇)-(몇)

1	1 / 7, 3	**2**	3 / 10, 7
3	5 / 3, 7	**4**	2 / 10, 8
5	6 / 1, 9	**6**	5 / 10, 5
7	2 / 4, 6	**8**	4 / 10, 6
9	4 / 1, 9	**10**	1 / 10, 9
11	9	**12**	6
13	8	**14**	7
15	8	**16**	8
17	4	**18**	9
19	7	**20**	8

3. 받아내림이 있는 (십몇)-(몇)

1	7 / 8	**2**	10 / 3
3	1 / 6	**4**	10 / 8
5	5 / 9	**6**	10 / 9
7	3 / 4	**8**	10 / 4
9	2 / 6	**10**	10 / 7
11	5	**12**	7
13	9	**14**	8
15	8	**16**	7
17	4	**18**	3
19	8	**20**	7

DAY 12
154~155쪽

3. 받아내림이 있는 (십몇)-(몇)

1 4	**2** 9	**3** 7
4 7	**5** 9	**6** 6
7 8	**8** 6	**9** 4
10 8	**11** 7	**12** 6
13 9	**14** 5	**15** 9
16 5	**17** 6	**18** 6

19 13-5에 ○표   **20** 11-8에 ○표

21 16-9에 ○표   **22** 13-8에 ○표

23 11-9에 ○표   **24** 15-6에 ○표

25 12-4에 ○표   **26** 14-9에 ○표

생활 속 연산 5

DAY 13
156~157쪽

마무리 연산

1 3 / 11	**2** 4 / 14	**3** 5 / 15
4 1 / 11	**5** 3 / 13	**6** 6 / 16
7 6 / 12	**8** 1 / 11	**9** 4 / 14
10 1 / 11	**11** 3 / 12	**12** 2 / 12
13 2 / 12	**14** 1 / 17	**15** 3 / 13
16 1 / 11	**17** 2 / 15	**18** 3 / 13
19 13	**20** 16	**21** 16
22 13	**23** 11	**24** 18
25 15	**26** 11	**27** 12
28 12	**29** 14	**30** 15
31 11	**32** 12	**33** 17
34 13	**35** 14	**36** 12

DAY 14
158~159쪽

마무리 연산

1 2 / 8	**2** 1 / 9	**3** 2 / 8
4 4 / 5	**5** 1 / 9	**6** 6 / 4
7 7 / 8	**8** 4 / 6	**9** 7 / 3
10 4 / 6	**11** 1 / 9	**12** 5 / 6
13 10 / 9	**14** 10 / 8	**15** 10 / 4
16 10 / 8	**17** 10 / 8	**18** 10 / 7
19 6	**20** 6	**21** 5
22 5	**23** 7	**24** 7
25 3	**26** 9	**27** 8
28 7	**29** 4	**30** 7
31 9	**32** 9	**33** 3
34 5	**35** 7	**36** 9

MEMO

힘이 붙는 수학

연산

초등 1B

힘이 붙는 **수학** 연산